36 明代
西元 1368～1643 年

［注音本］

全新 吳姐姐講歷史故事

吳涵碧◎著

目錄

【第762篇】寧國公主的悲情恨事。

明成祖設立錦衣衛，手段毒辣，但是他會用錦衣衛對付自己的妹夫——梅殷，還是頗出人意料之外。

梅殷的妻子——寧國公主，原是明太祖朱元璋最疼愛的寶貝女兒。朱元璋猜疑心重，一輩子殺人無數，他只相信摯愛的馬皇后，馬皇后過世以後，朱元璋就只有在馬皇后女兒寧國公主身上，依稀見到馬皇后的影子。寧國公主與母親馬皇后一般，溫柔體貼、識大體、懂分寸。她的丈夫梅殷，也是朱元璋在十六個駙馬之中，最欣賞的一人。

梅殷長得一表人才，極有氣度，精通經史，當時的人尊他是『儒宗』，朱元璋這個老丈人，對此女婿是愈看愈有趣。

朱元璋晚年，因爲太子早逝，太孫允炆又過於軟弱，讓他放心不下，經常大發脾氣。可是，每次見到梅殷夫婦這對璧人，朱元璋就心情寬慰不少。

有一天晚上，翁婿飯後聊天，自用兵謀略談到古今得失，眞是非常暢快，朱元璋忽地長嘆一口氣，道：『我最近體力不繼，再撐也撐不了多久，諸王一個比一個難馴，偏偏允炆又是如此軟弱。我走了以後，你可要好好幫助允炆，看好我的朱家天下。』說著，用手握著梅殷的手。

梅殷發現這雙曾經叱咤風雲的手，老了、瘦了、乾了，也沒有力氣了，心中不免感傷，他用力地點點頭：『我會的，我一定會的。』

後來，朱元璋去世，惠帝命梅殷擔任總兵管鎮守淮安。梅殷允文允武，書讀得好，帶兵也有一套，號令嚴明，部下對他十分敬服。

燕王發動靖難，想借道淮安，以進香爲名，拜託梅殷准許軍隊過境。一向溫文儒雅的梅殷，臉一板予以拒絕：『進香一事，皇考（指朱元璋）早有禁令，不遵者爲不孝。』不許就是不許。

燕王知道了，勃然大怒，寫了一封信給梅殷，霸氣地告訴梅殷：『我今日起兵，清除君側，天命有歸，不是你或任何人可以阻止的。』言下之意，勸梅殷別那麼倔強，不如早日投降。

梅殷的答覆更是倔強激烈，他居然把使者的耳朵、鼻子全給割了，氣咻咻地對使者說：『我留下你一張嘴巴，讓你對燕王殿下講君臣大義。』總而言之，梅殷是死硬派，謹守對朱元璋的諾言，全力護衛皇帝。燕王氣壞了，卻無可奈何。

等到燕王攻入南京，即皇帝位，梅殷仍堅守淮安，不動不移。明成祖火了。有一天，他把親妹妹寧國公主（兄妹二人皆是馬皇后的骨肉）叫來，對她說：『你寫一封信，叫駙馬趕快回來。』

寧國公主不肯依，搖搖頭，不答應。

成祖拍著桌子大吼：『我是皇帝，又是你哥哥，兄長如父親，你敢不聽嗎？』

寧國公主悠悠道：『未嫁從父，既嫁從夫。』

『哼，梅殷也得聽我的。』成祖怒聲道：『快寫！』

寧國公主迫不得已，只好當著成祖面寫了一封給梅殷的信，寫完了，賭氣般地拿給成祖看。

成祖一看，順手就把信揉成一團，扔在地上，大聲地說：『這個不行，你要用血書才行。』

寧國公主大驚失色，這個哥哥如此狠，低下頭、咬破手指，噙著眼淚，爲駙馬寫了一封望君早歸的信。

梅殷與公主伉儷情深，人人稱羨，他一向體貼妻子；忽地接到一封血書，簡直張皇失措，眼前全是公主咬破雪白手指的畫面，一時之間，方寸大亂，痛哭失聲。匆匆之間，結束了淮安的軍防。

梅殷回到南京，成祖見計得逞，笑嘻嘻趨前相迎：『駙馬爺辛苦了。』

『不過勞而無功。』梅殷淡淡地回了一句，而且話中有話。

成祖訕訕地離開，心中頗不是滋味。

永樂二年都御史陳瑛告了梅殷一狀，說：『駙馬私養許多亡命之徒，並且與女秀才劉氏朋比爲奸，畫符唸咒，圖謀不軌。』

成祖回答：『這件事，朕自有處置。』於是，他下令減少了梅殷儀仗隊的人數，裁減了衛隊，甚且命令錦衣衛把梅殷家人送到遼東。

寧國公主自從寫了血書，把駙馬找回來，夫妻相見，恍若隔世，她一天到晚擔心梅殷出事，早晚總要叮嚀再三，梅殷也掛念公主，每日外出，無不再三道珍重。

這一回，梅殷家人被送往遼東，公主心知不祥，半夜醒來都會握著梅殷的手，唯恐梅殷不見了。每一回梅殷上朝，公主就癡癡等在門口，遠遠見到梅殷身影，她心中的石頭才放下，驚喜地迎上前去。第二天，又開始窮緊張。

這般神經繃緊的日子眞是煎熬，又有什麼辦法呢。

永樂三年十月裡，寧國公主又照例在盼駙馬回朝。她望眼欲穿，等了又等，盼了又盼，還是不見蹤影。公主手心開始出汗，背脊開始發涼，額頭一點一滴在冒汗，她在心中喊：『不可以，千萬不可以！』

這時，一名使者騎著快馬趕來飛報：『不好了，駙馬爺經過笪橋時，突然跳水自殺。』

公主又恨又氣，她大聲嚷嚷：『胡說，駙馬爺才不會自殺。』梅殷與她相約白首偕老，豈會好端端地自殺？

寧國公主臉色慘白，全身發抖，像瘋了一般地奔入宮中，扯著哥哥成祖道：『駙馬呢？駙馬在那兒？你還我的駙馬來！』

明成祖假惺惺地安慰公主，並且再三表示：『一定調查個水落石出。』

明成祖調查的結果是『梅殷自盡，搶救不及。』原以爲神不知鬼不覺消除心中一大患。

豈料，現場目擊者都督許成上了一個報告，原來當時是梅殷過橋，錦衣衛趙曦、前軍都督僉事譚深也一起上橋，兩人合力一擠，硬是把駙馬爺擠入水中，活活淹死。

明成祖心中直怨許成多事，卻不得不審訊譚深、趙曦二人，這兩人原是奉成祖之命辦事，卻落了個被砍斷雙手，用腸子祭拜梅殷的下場。

最後，成祖皮裡陽秋寫了封信給寧國公主：『駙馬梅殷雖有過失，做哥哥的我因爲至親的關係，放他一馬，不予聞問。梅殷溺死一事，我也覺得很奇怪，最近都督許成向我報告了經過，朕已賜給爵賞，謀害者受到重懲，特報妹知。』

寧國公主手捧著信，眼淚一滴滴往下流……

閱讀心得

【第763篇】

解縉心直口快。

解縉是明成祖時代的名臣，才華極高，遭遇極爲坎坷。

解縉的祖父解子元，曾經擔任元朝福州判官，他的父親解開，是個很有學問的人，明太祖希望他能出來做官，被他婉拒了。

解縉是洪武二十一年的進士，擔任中書庶吉士，明太祖非常喜歡解縉，欣賞他見解獨到，應對敏捷。

明太祖是個猜疑心很重的皇帝，尤其到了晚年，成天疑神疑鬼，任何人不小心講錯了話，就要性命不保。但是他相信解縉，對解縉的心直口快，想到就說的作風，非但不以爲忤，反而認爲是忠心的表現。

有一天，明太祖與解縉聊得興起，他拍拍解縉的肩膀：『我與你義則君臣，恩猶父子，你對我，應當知無不言。』

明太祖可不比唐太宗，他與臣子的關係是很遠的，所以，解縉聽在耳裡，簡直感動得不曉得該怎麼說才好。

晚上回到家，飯也不吃了，立刻磨墨寫奏章，他原本就是滿腔報國熱忱的純潔青年，老早有一肚皮的意見想要稟明聖上。現在既然皇上親自要求他發表看法，還說情同父子，當然是知無不言，言無不盡。

解縉愈寫興致愈高，寫到後來，整個人亢奮得熱血沸騰，一個晚上，

洋洋灑灑寫了一萬多字。

寫完了，天也大亮了，他興沖沖拿去給朋友胡某先過目。

胡某接過來一看，才看兩行，臉都綠了，他嚇得猛搖頭：『天啊！你這個人，講話怎麼如此直，你還要命不要？』

解縉搶回來，自顧自地朗聲唸道：『臣聽說政令經常更改，人民會起懷疑之心，刑罰過重，人民會養成頑劣之心。明朝建國到現在二十年了，幾乎無時沒有不變之法，天天都在朝令夕改，也沒有一天沒有不處罰犯過之人。我曾經聽說陛下震怒，鋤誅奸逆，就沒聽說陛下褒獎任何一善人，始終如一……』

讀到這兒，解縉回過頭來問胡某：『難道，你認爲我說的不對？』

胡某皺著眉頭：『文章是寫得精采，道理也無懈可擊，但是，這麼厲害的建言，你還要命不要？』

解縉仍天眞地說：『你不知道，精采的還在後頭哩。』

胡某啼笑皆非坐下來，詳詳細細的拜讀，果然解縉什麼旁人不敢說的他都說了，從太祖平日閱讀的書籍，用人的方式，御史糾彈的方式，拜神的弊害，徵稅的原則……解縉全有自己的意見，而且文筆犀利，氣勢宏偉，善用比喻，直指要害。

胡某誠懇地對解縉說：『小老弟，既然你尊我一聲胡兄，我不得不勸你小心，就文章論文章，我不能不誇一聲好，整篇擲地有聲，沒有一個廢字。問題是，你用命去拚，值得嗎？皇上聽得進去嗎？』

解縉仍然堅持，他沈重的回答：『士以天下爲己任，我建言的目的，不在求取文名，不在謀取官位，而是許多現象我看不下去，既然我有這份幸運，有這個機會，能代表許多人，說出內心想說的話，我就不能放棄這個書生報國的幸運。』

胡某無可奈何地苦笑：『怕是不幸噢！』

結果，萬言書送上去，朱元璋看了大呼：『妙，果然是奇才奇文。』

他讚許解縉的才情，卻並沒有採納解縉的建議，他有他自私的想法，朱元璋認爲，太孫允炆過於文弱，做祖父的只有用殘酷的手段，才能幫一步算一步。

解縉心中不無失望，他又寫了一篇『太平十策』，朱元璋依舊是誇文章，卻不予採用。

不過，解縉不是一個輕易氣餒的人。在忠臣李善長被朱元璋滅族之後，替郎中王國用代筆，上書朱元璋，爲李善長抱不平。

解縉的話極有道理：他說：『善長與陛下同心，出萬死以取天下，勳臣第一，生封公，死封王，男娶公主，親戚拜訪，如果說他圖謀不軌，還有道理，說他輔助胡惟庸造反，則大謬不然。』（李善長、胡惟庸的故事請參考前面。）

王國用冒死把文章呈上去，奇怪的是朱元璋沒生氣，也沒追究這響叮噹的文字是誰代筆，或許朱元璋心中已想到有話非說不可的解縉。

解縉天生急公好義，後來，他當了御史，看不慣另外一位御史袁泰胡作非爲，又幫夏長文捉刀，參了袁泰一本。袁泰知道這件事，把解縉恨之入骨。

解縉年少氣盛，朱元璋愛他的才華，卻也認爲他該再磨練，因此，有一回解縉的父親解開到宮裡來，朱元璋就對解開說：『你這個兒子大器晚成，如果你把他帶回家去，好好讀個十年書，再用未晚。』

朱元璋其實不是要解縉讀書，而是要他改改脾氣。另一方面，朱元璋老謀深算，他知道解縉的才華，希望儲備人才爲惠帝所用，同時，讓惠帝起用解縉，表示惠帝對解縉有恩，朱元璋相信他沒看走眼，解縉是忠心耿耿的熱血青年。

閱讀心得

【第764篇】朱高煦盜馬。

明朝忠臣解縉直說敢言，明太祖朱元璋極爲賞識他的才華，卻認爲解縉年少氣盛，需要磨練，命他回家鄉，再讀十年書，『大用未晚矣』。解縉回到家鄉，春去秋來，一晃就是八年過去了。解縉聽說朱元璋駕崩，趕到京師，希望能爲惠帝効命。

解縉一向直說敢言，毫不避諱，當年曾經得罪了不少人，是屬於不受歡迎的人物。因此聽說他回來，個個都一副苦瓜臉。

『不行，這小子回來，咱們日子就不好過了。』

『他那張嘴、那枝筆都尖銳無比。』

『我們來個先發制人。』

衆人七嘴八舌地討論著，最後決定以『解縉母喪未葬，父親九十高齡，不當遠行』的理由，向惠帝參了一本。惠帝是個重視孝道的人，就把解縉貶到了河州。幸虧，禮部侍郎董倫幫忙說情，惠帝才重新任命他爲翰林待詔。

後來，燕王發動靖難成功，成爲明成祖。在解縉看來，明成祖也是明太祖朱元璋的嫡子，明朝也還是明朝，並沒有亡國。所以，他沒有採取如方孝孺一般激烈的抗爭行動。在他以爲，如何協助明成祖，讓明朝國運更

爲輝煌，這才是報答明太祖，也才是實踐讀書人報國之志。

明成祖把解縉拔擢爲侍讀，命他與黃淮、楊士奇、胡廣、金幼孜、楊榮、胡儼一塊在文淵閣參與機密。

有一天，明成祖在奉天門，對六位臣子說：『假如朝廷之上，進言者無所畏懼，聽言者（指皇帝）不以爲忤逆，天下何患不治？朕願與你們共勉之。』

解縉原本就是有話直說的人，只問是否對國家有利，從不考慮是否得罪同僚，因此，朝臣以他爲公敵，人人擔心他受到明成祖恩寵。

沒過多久，朝臣互相道賀：『放心吧，解縉要吃苦頭了，這小子對建儲一事頗有意見。當然，按照道理講來，應該是皇長子爲太子，誰不知道，皇上偏愛老二漢王高煦。』

『可不是嗎？也難怪如此。』

衆人七嘴八舌議論著，紛紛發表看法。不過，對於解縉會走霉運一事，無不幸災樂禍地期盼著，等待著。

明成祖一共有四個兒子：朱高熾、朱高煦、朱高燧都是徐皇后（功臣徐達之女）所生，第四個兒子朱高爔生母爲誰則不可考。

朱高煦小時候是一個標準的頑童，調皮搗蛋、打架鬧事，長大以後則兇悍頑劣。

明太祖洪武年間，曾經命令各孫子集中在京師，找了最好的老師，予以嚴格地教導。

朱高煦不肯學好，讀書不專心，盡是出狀況，太祖每次見到他舉止輕佻，就忍不住光火：『這孩子怎如此地討人嫌。』

朱高煦的舅舅徐輝祖是明朝開國功臣徐達的長子，極有才氣，也極有正氣，他對朱高煦這個外甥最看不順眼，屢次教訓不聽，也就放棄了管教。

當時，南京城裏盛傳燕王將對惠帝不利，徐輝祖是站在惠帝這一邊的，他私下裏秘密報告惠帝：『我這個外甥高煦不是個好東西，簡直是無賴，皇上可千萬不能放他回北平。』

朱高煦聽說舅舅批評他無賴，倒也不以爲忤，他嘻皮笑臉道：『不如，我就要他一個無賴。』

於是，在一個月黑風高的晚上，朱高煦趁著旁人不注意，溜入徐輝祖的馬廄，牽出一匹黝黑發亮的寶馬，這寶馬是徐輝祖最最心愛的寶貝，乃不可多得的千里馬，平常根本捨不得讓人碰，朱高煦想借騎一下過過癮，看到舅舅一張臭臉，也就識趣地把話嚥回去了。

深夜裏，明月高懸，天街如洗，朱高煦策馬急馳，馬鞭『刷刷』地揮在寶馬身上，一會兒，離開了南京城。

朱高煦身長七尺餘，善騎善射，有人形容他：『腋下彷彿長了數片龍鱗一般快捷。』這會兒，他正發揮這份快速的本領，飛也似地往前趕路。

第二天一大早，徐輝祖發現寶馬丟了，他氣憤地說：『一定是高煦這無賴，旁人沒這個膽子。』

於是，各路人馬展開瘋狂大追擊，卻連影子都見不著，只不斷接到消息：朱高煦殺弓驛丞、朱高煦殺了民吏、朱高煦一刀結束了涿州驛丞……整個朝廷都在交相指責朱高煦，也責備燕王養子不教誰之過。

當然，燕王心裏的想法是不一樣的，打從他準備起事開始，最惦記的就是留在京師的兩個寶貝兒子朱高熾與朱高煦，因此當燕王聽說朱高煦盜了徐輝祖的馬，他眉開眼笑的對姚廣孝說：『哈！他還眞有一套。』卻也不免擔心：『這一路之上，困難重重，何止過五關、斬六將。』

所以，當朱高煦滿頭大汗，氣喘如牛的回到燕王身邊，誇耀著一路上如何危險，他自己又如何地英勇，燕王聽得津津有味，頻頻點頭：『不錯，頗有你老子的氣勢，可惜你哥哥沒一起回來。』

『哥跑不動的。』朱高煦順口道。

可不是嗎？朱高熾體重直線上升，走起路來行動遲緩，想到朱高熾還留在南京，燕王的心就開始往下沈……

閱讀心得

【第765篇】

明成祖偏愛次子。

燕王次子朱高煦逃回北平不久，惠帝心腸軟，把燕王長子朱高熾也放回北平，燕王沒有後顧之憂，放心大膽開始起事。

燕王在發動靖難以後，身先士卒，由於長子朱高熾體型過重，且有足疾，行動不方便，多半留守北平，跟著燕王東征西討的，則是被舅舅徐輝祖視爲無賴的次子朱高煦。

曾經有一次在白溝河戰役之中，燕王被瞿通、瞿能父子苦苦追趕，燕王已筋疲力盡，已經在自言自語：『想不到白溝河是我葬身之地。』

忽地，突然起了一陣陣旋風，朱高煦彷彿自天而降，眼到手落，一刀削去，把瞿通腰斬成兩段。瞿能氣極，正待舉槍，朱高煦刀頭一轉，瞿能連人帶馬，跌落深溪，被亂兵殺死。

燕王握著朱高煦的手：『你來得正好！』

面對如此善戰的兒子，燕王心中有說不出的得意。

又一回，徐輝祖去浦子口，大挫燕軍，眼看著燕軍即時兵敗如山倒，朱高煦輕輕鬆鬆領了番兵前來，燕王十分欣慰，他拍一拍朱高煦厚實的肩膀：『我累慘了，這兒就交給你啦。』

朱高煦還是一臉不在乎的神情，而且有點兒沒大沒小的調皮：『沒問

題，包在我身上，爹這個兒子可非等閒之輩。』

果然，徐輝祖這個做舅舅的，就敗在被他形容爲『無賴』的外甥手中。

朱高煦好得意，更樂的是燕王，他在朱高煦矯健的身手中，彷彿看到自己的影子，也充分體會到做父親的愉快，這份甜蜜是燕王其他幾個兒子沒法帶給燕王的。因此，燕王偏愛朱高煦，換了任何人，恐怕也會如此。

燕王能夠得到天下，不能不說，有一大半的功勞應該歸於朱高煦。朱高煦呢，更不用說，在下意識中，也把自己比爲唐太宗，雖然是次子，總有一天會登上天子的寶座。

在解縉看來，這種現象是大大不妙，明太祖朱元璋崩逝，立刻就發生了皇位之爭，如果明成祖傳位給次子朱高煦，又違反了傳統嫡長子制度，那麼，以後代代皇位之爭將層出不窮，明朝國運岌岌可危。所以，站在鞏固國本的立場，解縉非站出來講話不可。

有一天，碰巧明成祖問到解縉建儲的意見。解縉立刻回答：『世子（世子是王侯的嫡長子，成祖原是燕王）仁孝，天下歸心。』

這句話不動聽，成祖沈默不語，把臉放了下來。

解縉趕緊叩首，加了一句：『好聖孫。』

成祖長子朱高熾，太讓成祖失望，不過朱高熾的兒子朱瞻基，自小聰明過人，有小神童之譽，成祖非常疼這個孫子，成祖心想，若是把皇位傳給高熾，以後，高熾的接棒人倒是個人才，於是，臉色又和緩了些。

不過，想到朱高煦多次有救命之恩，朱高熾體型癡肥，而且愈來愈胖，怎麼看都沒有天子的威儀，成祖又猶豫不決了。

不久，成祖拿了一幅虎彪圖，請臣子們看圖寫詩，圖中畫的是一隻大老虎，旁邊圍著許多可愛的小老虎，父子相親，非常溫馨的構圖。解縉才氣高，拿起筆來就寫了一首絕句：『虎爲百獸尊，誰敢觸其怒？惟有父子情，一步一回顧。』

明成祖了解解縉的用意，終於下了決定，把世子朱高熾找了來，立爲太子，封朱高煦爲漢王，朱高燧爲趙王。

其實，朱高熾除了胖一點，人倒是非常善良，非但不笨，且極有才學，只因他個性沈靜，嘴巴動作都不靈活，難討父親的歡喜。

在洪武二十八年，朱高熾曾奉命與其他秦王、晉王、周王的世子一塊檢閱兵隊，獨獨他一個人特別慢，理由是：『早上太冷了，士兵受凍，因此，我等他們吃過早飯後再閱兵。』

世子懂得體恤人，成祖卻不滿意他過分仁厚。

成祖次子朱高煦，他可是徹頭徹尾，看不起他的胖大哥。

有一次，成祖帶著兒孫赴孝陵，為明太祖掃墓。朱高熾實在太胖，又生了足疾，一左一右兩個人攙扶著，這兩人被壓得好慘，他蹣跚地上台階，不僅自己走得辛苦，旁人看在眼中，也覺得累極。

走著走著，朱高熾就跌了一跤，因為太胖了，這一跌是驚天動地，旁邊攙扶的人也被拉倒腳步不穩。

朱高煦這個做弟弟的，沒安好心眼，不斷蹦蹦跳跳，故意展現自己青春活力，看到哥哥跌倒了，先是忍不住笑，然後，半帶嘲諷：『前人蹉跌，後人知警。』

朱高煦是話裡有話，表示他想搶胖哥哥的位置，他正在爲自己的幽默而得意。忽地，背後有一個童稚的聲音傳來：『更有後人知警也。』

朱高煦迅速一回頭，原來是胖哥哥的兒子，朱瞻基。朱瞻基對叔叔老是明裡暗裡欺負父親早就不滿，所以忍不住反唇相稽，希望叔叔收斂一些。

朱高煦一心效法唐太宗，對皇位覬覦久矣，這會兒希望落空，又被封爲漢王，封地在雲南，既失望又憤慨，他賭氣地說：『我有什麼罪？把我貶到萬里之遠。』

這一筆帳，很自然地，全都記在解縉身上了。

閱讀心得

【第766篇】

李至剛趨炎附勢。

明成祖終於接受解縉的建議，正式立長子朱高熾為太子、次子朱高煦為漢王、三子朱高燧為趙王，成祖等於是明明白白告訴天下『國本已立』。

但是，朱高煦希望落空，強烈反彈，他不肯去雲南擔任漢王。成祖一向寵朱高煦，又念在他屢次有救駕之功，也不勉強他，讓朱高煦與妻兒照樣住在南京，還把自己的『天策衛』親軍賞給他。

成祖的用意，原是安撫朱高煦，希望他不要因為太子位置落空，心裡太過不平衡。在朱高煦的感覺，卻是又燃起了希望，他還是夢想，有朝一日能夠效法唐太宗，正式成爲大明朝的皇帝。

解縉又忍不住開口，他上諫成祖：『陛下對漢王寵信益隆，禮秩踰嫡，等於是爲朝廷開啓爭端，不可不慎。』

成祖一聽之下，滿臉寒霜，狠狠地瞪著解縉，解縉注意著成祖發怒的表情，卻也絲毫沒有改口的意思。

成祖心想，你這個渾小子，我已經聽了你的勸，讓討人嫌的高熾當了太子，你還在嚕嚕囌囌沒完沒了，居心何在？於是，成祖吹鬍子瞪眼睛怒吼道：『你是存心離間我們骨肉。』

『離間骨肉』這四個字罪名可不輕，消息傳出，朝臣們彼此私下紛紛

議論『解縉必已失寵，可喜可賀。』

解縉彷彿不把寵信與否放在心上。沒多久，他又做了一件惹成祖心煩的事。

原來，永樂四年，明成祖派中使護送安南國陳氏王的後裔，一位叫陳天平的回安南國。安南國王樂蒼僞裝奉迎，不料，走到一半山路，竟然派兵劫殺陳天平，而將護送的明朝軍隊趕回，大有明朝不必多管安南閒事之意。

明成祖面子掛不住，他勃然大怒：『蕞爾小醜，也敢欺我，此而不誅，兵則何用？』於是大舉發兵。

解縉不懂得揣摹皇上的心意，他認爲，犯不著爲了區區安南小國，大動干戈，連夜上了一則奏章，成祖看了，反感透頂。

解縉的直言快語，不僅成祖不悅，也得罪了同僚，尤其是有馬屁李之稱的李至剛。

李至剛名爲至剛，其實，一點兒也不剛直。他在洪武二十一年中明經科，極有學問，可惜品德不佳，專攻阿諛，對拍馬屁有一套獨到功夫，明成祖很欣賞他的甜言蜜語。

不過，有時候，李至剛的馬屁，也會一個不小心，拍到馬腿上面。

例如，有一回，山東野蠶成繭，這不是什麼大不了的事，李至剛當做大事一件，上表請賀，說了一大堆『國有聖君，乃有祥瑞——』

成祖興趣缺缺。

沒多久，李至剛又率了文武百官，爲成祖慶賀，理由是：『陝西進瑞麥……』

成祖非但沒有投以關愛的眼神，反而斥責：『不用如此。』

馬屁李不以爲忤，逮著機會仍然獻媚。

又有一回，成祖派中官赴眞臘，中途逃走三個隨從，眞臘國王又補了三名，成祖命此三人回到眞臘。

李至剛又小心翼翼討好成祖：『會不會眞臘國，偷偷藏起三個中國人？』

明成祖臉一板：『朕以至誠對待中外，眞臘國用不著如此。』

李至剛的個性與解縉恰好相反，兩人互相看不順眼，也是最自然不過的了。不過，原先，表面還維持和諧，井水不犯河水，直到有一天，成祖一口氣寫了十位大臣的姓名，命令解縉寫出他們的人品。成祖雖然討厭解縉的正直，卻也想利用解縉的特點，讓他更了解臣子的為人。

解縉也就老實不客氣，開始為同僚打操行分數，並且加上評語。例如：『蹇義天資厚重，缺點是胸無主見。鄭賜可謂君子，可惜缺乏才華。黃福正直，有為有守……』當他批評李至剛，則赤裸裸地說：『趨炎附勢，有才氣，品行不端。』

解縉的評語，一針見血，太子高熾看了也笑道：『人家說解縉狂妄自大，我看他頗有定見，是個人才。』

解縉如此評斷李至剛，李至剛豈有不跳脚之理。逮著機會，定要報復。

永樂五年，有人參了一本，說解縉閱卷不公，成祖恰好看解縉不順眼，把他貶到廣州布政司參議。

解縉正要出發，李至剛跑來了，在成祖面前挑撥是非，加油添醋描繪解縉如何『心懷怨懟』。

解縉嘴巴難聽是有了名的。所以，李至剛一進讒言，成祖馬上就聽進去了，立刻，把解縉謫得更遠，要他到交阯去。

永樂八年，解縉因事赴北京。恰好，成祖出征，解縉只好面謁太子，再回到交阯。朱高煦這下逮到報仇的機會，他編派了一項罪名，說解縉故意趁成祖不在京師，私覲太子，無人臣禮。

古代皇帝與太子之間，雖爲父子，實有微妙感情，老皇帝總擔心，太子想要老皇帝早死，甚且會謀害父皇，以便早日登基。

成祖也是如此，當下把解縉逮捕入獄。

永樂十三年錦衣衛紀綱奉上囚犯名單，成祖看到解縉的名字，脫口而出：『解縉還活著？』

紀綱的腦筋一轉，莫不是成祖寧願解縉早死早好。於是，紀綱灌了解縉酒，在積雪中將他活埋，死時才四十七歲。

閱讀心得

【第767篇】

解縉主編永樂大典。

解縉正直敢言，觸怒聖上，得罪同僚，四十七歲英年早逝。但是，他在短短一生之中，發光發熱，善盡言責之外，解縉還參與修明太祖實錄、列女傳與永樂大典，尤其主編永樂大典一事，在中國文化史上，是大事一件。

明成祖氣魄宏偉，從他派遣鄭和出洋一事，就可以充分表現出大手筆，明成祖同樣也注意文治，發揚人文精神。

永樂元年，明成祖即位之初，有一天，明成祖興致很高，他把解縉找來，對解縉說：『朕常覺得，天下事務太繁太多，書籍紊亂，不易查考，不如把天下合編爲一書，便於參閱，你看如何？』

『皇上有這種想法，承先啓後，天下之福也。』解縉是讀書人，自然樂於聽到這消息。

『依朕之見，你書讀得多，見聞廣博，不如，就由你來做這件事。』

解縉很高興接下了任務。

他的動作很快，馬上著手進行，帶著助手，根據原來儲藏在南京文淵閣之中，五代十國宋遼金元及明初，一共五百多年來累積的『中秘藏書』，依據經、史、子、集、百家、天文、地理、陰陽、醫卜、僧道、技藝，合

爲一書，在永樂二年十一月呈獻給明成祖。

成祖看了，點頭稱好，賜名爲『文獻大成』。可是，成祖並不完全滿意：『依朕看來，此書仍有不夠完備之處，不妨再用點工夫，把天下失散的書全給找齊全了，也算我朝對後世的一大貢獻。』

於是，明成祖加派姚廣孝、劉季箎與解縉同爲監修，又命王景、胡儼等人爲總裁；把全國最有學問的人都找來加入編輯群，再調國子監及外郡學生員擔任繕寫工作，總共動員了二千多人，眞是聲勢浩大的工作組合。

解縉率領如此龐大的編輯群，不眠不休趕了三年，到永樂五年，終於大功告成，全書共有二萬二千九百三十七卷，共裝成一萬一千零九十五大冊。明成祖看了龍心大悅，頻頻點頭：『這正是朕心目之中的永樂大典。』

永樂大典搜集了許多明朝以前，極爲珍貴的佚文秘笈，明成祖翻著書頁，忽然想到『爲什麼不把永樂大典刻版印行，嘉惠後世。』這雖然是好主意。可是，算盤一撥，預算驚人，明成祖還有好多國家計畫要進行，只好忍痛放棄。

後來，到了嘉靖四十一年，明世宗命名臣高拱、張居正爲校理，選派禮部儒士程道南等協助，動員了一千多人謄寫，忙了四、五年，到隆慶初年方才完成正副兩部，可見永樂大典的規模有多大了。

有人把明朝的永樂大典，比喻爲中國空前的百科全書。其實，並不十分恰當。百科全書是一種包括各種知識，分門別類，依一定的順序排列、用簡明文字記載的一種各科辭典的書，但是永樂大典是講到某一類別，譬如天文，就把所有有關天文的書，完全納入其中，而以洪武正韻爲目，將各種材料分別納入。

到了清朝乾隆年間，修四庫全書之時，永樂大典還有殘餘的幾千冊，再經過英法聯軍、八國聯軍的浩劫，更加殘毀，還有不少流出國外，堪論命運坎坷。

除了永樂大典，解縉老朋友胡廣編的《性理大全》也是明成祖得意的一部大書。所謂性理大全是集宋儒之學，分爲『理氣』、『鬼神』等十三目，內容是抄錄先儒各家註說而成。《性理大全》與《五經大全》、《四書大全》合爲三大全，永樂十五年，成祖頒之天下。以後的科舉考試，也都本諸三大全，從此，天下讀書人，個個埋首三大全，全力死啃活背，爲的是『十年寒窗無人問，一舉成名天下知。』

解縉與胡廣之間，還有一段小故事：有一天，明成祖賜宴，他那天晚上，多喝了一點兒酒，心情特別好，先舉盃賜了解縉一盃，又與胡廣乾了一盃。

然後，明成祖莞爾笑道：『你們兩個人，生同里，長同學，仕同官，也算是一則佳話。朕聽說，解縉有個小兒子，挺聰明的，不如胡廣把女兒嫁給解縉之子，正式成爲兒女親家。』

皇帝的話，就是聖旨，不能違抗，胡廣一聽之下，可慌了手腳，趕緊離開座位，趴到地上猛叩首：『臣妻方懷孕，未卜男女。』

明成祖頗有自信道：『一定是女的。』

胡廣回到家裡，七上八下，他摸著妻子隆起的肚皮道：『最好生個女娃娃。』

中國古代一向重男輕女，胡妻怪異問著：『人人都想一舉得男，爲什麼你偏偏要個女娃兒？』

於是，胡廣加以解釋，他兩手一攤：『伴君如伴虎，我們總不能掃皇帝的興致。』

不料，明成祖還眞有如超音波般的銳眼，胡妻果然生下一個漂亮的小女孩。

解縉、胡廣二人歡歡喜喜結爲親家，讓明成祖指腹爲婚的美意實踐。

後來，解縉因爲正直敢言獲罪，他的兒子解禎亮也被遠徙遼東。

胡廣眼看這個親家家道中落，有意悔婚。胡女不肯，胡廣發脾氣：『你這個笨丫頭，這樣的夫婿也要，我是爲你好，你知不知道？』

胡女不說話，賭氣關上了房門。

一會兒，門開了，只見胡女手上端個盤子，裡面盛放一隻血淋淋的耳朶，再看胡女一臉的血往下淌。

胡妻見了大嚷，『你這是幹什麼？』一邊急著找止血藥爲她敷傷。

胡女堅決地表示：『薄命之婚，皇上主之，大人面承之，有死無二。』

胡廣嚇得雙手亂搖：『好好，算我服了你。』他還眞怕再逼下去，非得出人命不可。再說，胡女少了一隻耳朶，也嫁不出去了，只好依她的意思。

中國古代許多婦女，爲了表彰節烈，常有許多現代人看來十分恐怖的表現方式，這些，我們以後再慢慢詳談。

後來，解縉死了，解禎亮被赦回，胡廣的女兒，還是歡天喜地成了親。

閱讀心得

【第768篇】

明成祖疏濬運河。

最近中共興建三峽水壩一事，成爲世界性的熱門話題。遠在中國古代，水患就是全國上下矚目的大事。

元朝所開闢，溝通南北，長達二百里的會通河，在明朝洪武年間，因爲黃河的一次決口，被淹沒而淤塞，這個棘手的問題，讓明成祖直呼傷腦筋。

明成祖遷都北京，北方的糧食不夠吃，必須要靠富饒的江南供給，於是，自永樂以來，群臣紛紛建議，必須重開會通河。明成祖終於在永樂九年，把這個重責大任，交到宋禮手中。

宋禮是河南人，個性剛直，律己嚴苛，對待屬下也非常嚴，完全不講情面，責任心非常強烈。

宋禮奉了御旨，到了河南，馬上開始勘察地形，他發現，其中最大的問題，在於汶水倒灌，元朝對此束手無措，宋禮是戶部主事出身，他也不是學工程的，不曉得可有什麼妙法。

宋禮正在愁眉不展，有一天，外頭來了一位老翁，說有急事求見。

宋禮瞟了一眼，只見老翁頭髮鬍子皆已斑白，但是身體硬朗，雖然瘦刮刮，卻精神抖擻，尤其一雙利眼，彷彿是練過功夫的。

宋禮問道：『你有什麼事？』

老翁回答：『小民乃山野村夫，名叫白英，近日以來，天天見到大人察看汶水，想來是爲疏濬運河之事而煩心。』

『不錯，』宋禮見白英談吐不俗，又似乎有備而來，趕緊請白英上座，並且誠懇地請問：『不知有何高見？』

白英拱拱手道：『高見倒不敢，只是小民經常留意此事。從此一帶觀察，就數南旺地勢最高，如果能修築大壩，把水引到南旺來，沿著運河分別向南北流去，大運河就通暢了。』

宋禮聽得極有興趣。白英繼續解說：『元朝是把分水點設在濟寧附近，其實，這是錯誤的，南旺地形高差大，河道坡度陡，不妨在南旺南北建一批水閘，通過啓開各閘，節節控制，分段延緩水勢，以利船隻順利地通過南旺分水脊，經過臨清直抵京師。』

宋禮聽了，喜出望外，立刻按照白英的建議，著手進行，這就是歷史上著名的『南旺導汶』政策。

從此以後，南北運河漕運暢通，加強了南北經濟的交流，減輕了人們轉運的痛苦，運河沿岸並且出現了一批工商城市，促進了明代社會經濟的發展。

當時的明人，曾寫了一首歌，描述運河沿岸風光，稱之爲『兩京水路歌』，歌詞是這樣的：『漕運循律事專一，征帆密密蔽天日。所經之處三十六，所歷之程兩月矣，共經水閘七十二，約程兩千七百里。』

根據白英的建議而完成的會通河改造工程，一直爲後人所稱道。自詡精通水利的清朝康熙皇帝也『深服白英相度開復之妙』，到了民國初年，一名美國水利專家參觀會通河之後，也發表觀感：『怎能對白英不崇敬呢？』

除了規復會通河之外，明成祖疏濬吳淞江，也是一大了不起的貢獻。洪武年間，太湖容納宣水，歙水無法宣洩，造成嘉興蘇松一帶連連水患。永樂元年，明成祖採納尚書夏原吉的建議，發動江南民工十多萬人，疏濬吳淞江。

夏原吉父親早逝，他靠著在太學當太學生，一點點微薄的補貼奉養母親。

某日，明太祖突訪太學，只見一群十多歲大的太學生吵吵鬧鬧，你推我一下，我打你一下，彼此嘻嘻哈哈，歡笑之聲彷彿要把屋頂震垮。明太祖不自覺想發火罵人。

只有那夏原吉，一言不發，安安靜靜在讀書，似乎與周圍的喧鬧，完全在兩個世界之中。

明太祖走近夏原吉身邊，他也渾然不覺，一頁一頁翻著書本，如此定力，讓明太祖一見之下，就非常欣賞，馬上拔擢他爲戶部主事。

夏原吉不請客、不送禮，卻平步青雲，自然讓周圍的人嫉妒到了極點，尤其夏原吉到了戶部以後，處理公事井井有條，尚書郁新讚不絕口，使得一位叫劉郎中的，心裡嘔得難過。

有一回，郁新要處罰一些疏忽職守的官吏，明太祖說：『算了。』郁新竟然不肯，非與太祖唱反調。

明太祖的權威感受到挫折，氣得質問郁新：『你好大膽子，這是誰教你的？』

郁新不敢隱瞞：『堂後書算生。』

於是，堂後書算生鋃鐺入獄。

劉郎中認爲，這是一個陷害夏原吉的好機會，趕緊密報：『唆使郁新的不是別人，正是夏原吉。』

劉郎中沒料到明太祖明察秋毫，明太祖指著劉郎中的鼻子：『原吉能處理尚書的工作，你存心想陷害他。』結果，劉郎中與書算生，都被明太祖給殺了。

明成祖即位，對夏原吉同樣寵信。

永樂元年，浙西漲大水，明成祖派夏原吉前去治水，夏原吉考察地形以後，簽報上去：『請循大禹三江入海故蹟，濬吳淞下流，上接太湖，度地爲閘，以時蓄洪。』

明成祖採納了夏原吉的意見，夏原吉開始了辛苦的工作，日日夜夜帶領十多萬人趕工。

當時是盛暑，夏原吉每天穿梭於工地之中，原本白皙的皮膚曬得通紅黝黑，身上的汗水，濕了又被太陽曬乾，乾了又被汗水浸濕，整個人瘦得彷彿人乾。

夏原吉的部下看不過去，好心勸道：『其實，你用不著每天去工地，何妨在竹棚裡納涼。』

『不行，一方面我不放心，再方面，也是給工人打一打氣。』夏原吉堅持道。

『那麼，你總可以撐一把傘，遮一遮太陽。』

夏原吉笑答：『人人勞苦，我何忍一人獨安適？』

夏原吉靠著這股精神，終於修濬吳淞江，從此太湖不復有水患，江南農田大蒙其利，姚廣孝實地考察之後，回來報告成祖：『夏原吉是古之遺愛也。』

閱讀心得

【第769篇】

宗喀巴創立黃教。

明朝初年，朝野大力提倡佛教，這也許和明太祖朱元璋當過和尚有關。明初雖然提倡佛教，但是對於流行西藏的喇嘛教，仍然相當禮遇，其目的是在籠絡西藏人。

在明成祖派遣鄭和第三次出使西洋的時候，青康藏高原出現了一個新的教派——黃教。

黃教的創始人宗喀巴，本名羅桑扎西，出生在青海省湟中一帶，當時這兒屬於宗喀地區，所以人們把羅桑扎西稱爲『宗喀巴』，意思是宗喀這地方的人。宗喀巴很小的時候，就被送到寺廟之中，當了小喇嘛。

宗喀位於西藏赴大都（北京）的要道，經常有高僧經過。宗喀巴不是『小和尚唸經，有口無心』的小和尚，他對經義還眞的有興趣鑽研，因此，每回廟裡來了高僧，宗喀巴總是搬張小椅子，專注地請教大師。

在如此這般自發自動的學習之下，宗喀巴進步神速，不但藏文頂尖，各派喇嘛教的經典，宗喀巴都下了一番工夫仔細研究。

洪武五年，十六歲的宗喀巴離開了宗喀，來到西藏，進一步鑽研喇嘛教。

宗喀巴到了西藏，發現喇嘛教派別繁多，彼此不合，這倒還是小事，

最可怕的是各教派戒律普遍鬆弛，與上層貴族相勾結，日趨墮落。例如一些個喇嘛，打著『研究密宗』的堂皇理由，居然強佔他人的妻子兒女，整天過著荒淫的生活，沈浸在色情遊戲之中，甚且連袈裟都不穿了，口口聲聲喊道：『戒律是束縛，去他的！』

宗喀巴看在眼裡，痛在心裡，他認為，現在是非改革不可的時候了。於是，他更加倍努力研究顯宗，學習密宗，從而建立一套新的、健康的、改革性的思想體系。

據說，在宗喀巴埋首研究著迷時，天上降下來無數的仙女，充當宗喀巴的義務助理，使得宗喀巴能夠在很短的時間之內，完成數部鉅著。

西藏原先的喇嘛，戴紅帽穿紅衣，娶妻生子，與一般俗人沒有兩樣，演變到後來，挾喇嘛權威以自重，日漸腐化，形成一股惡勢力。

宗喀巴改革以後的喇嘛教，卻是教規森嚴，以修習大乘經爲主，不許有家室，不得娶妻生子，爲與舊教區別，宗喀巴命教徒一律著黃帽，穿黃衣，人們稱之爲黃教。

由於黃教教規清新，宗喀巴又孚人望，一時之間，在西藏地區頗爲風行，當然，也引起舊的紅教教徒不滿。

某日，宗喀巴在一處曠地講經，聽衆們席地而坐，個個聽得聚精會神，宗喀巴的外貌莊嚴，神情大方，口才出衆，所有的人都深深地被吸引，連眼皮都捨不得眨一下。

這時，突然之間，遠遠走來一高僧，旁若無人地闖入會場，他態度倨傲，面帶不屑神情，也沒有依照藏人禮俗，把帽子摘下來。

『怕是來找麻煩的。』聽眾之中，有人竊竊私語：『這是花教大喇嘛賈曹杰．達瑪仁欽。』

高僧繼續朝前走，走到最前端，挑了一個最上座，毫不客氣地一屁股坐下來。當然，帽子還是沒有摘下，空氣之中，彌漫著挑釁的氣氛。

大夥睜大了眼睛望著宗喀巴，想要知道他如何應付這個棘手的麻煩。宗喀巴若無其事，照樣往下講。由於宗喀巴講得實在太精采，聽眾們也就忘了這個小插曲，會場鴉雀無聲，全體一致專心聆聽。

至於這一位不速之客，聽著聽著，聽入了神，不自覺地摘下帽子，走下首席位子，坐回一般信徒位置之中，一直聽到最後。

散會之後，這位花教大喇嘛，緩緩走到宗喀巴面前，深深地一鞠躬，低下頭說：『我原先是想來找麻煩的，準備逮到你的漏洞，當場反駁，讓你下不了台，沒想到你的演講是如此精采，我聽得入神著迷，佩服萬分，不曉得你願不願收我這個弟子？』

宗喀巴很高興地回答：『收弟子，不敢當。不過，我很願意與閣下切磋經義。』

後來，賈曹杰·達瑪仁欽成爲宗喀巴的大弟子，在黃教之中，享有極高的聲譽。

另外，還有一個白教大師寶童，爲人也是心高氣傲，但是，在聽過宗喀巴的演講以後，甘拜下風。他不改傲氣地說：『我是打遍天下無敵手，誰也別想與我辯論。當然，宗喀巴是唯一的例外。』

宗喀巴的威望，在他於大昭寺舉行法會之時，達到了最頂點，宗喀巴的宗教改革，得到全西藏的信服，同時，宗喀巴派遣弟子釋迦也失赴北京，明朝成祖皇帝封釋迦也失爲大國師。

宗喀巴認爲，能得到明朝政府的認可，對黃教而言，是一件大喜事，特別在西藏色拉山修築色拉寺，寺中供奉明朝廷賜給的佛像。明成祖是要面子的皇帝，聽說之後，龍心大悅，以後，黃教與明政府始終維持著良好的關係。宗喀巴收有兩大弟子，一名達賴喇嘛，一名班禪喇嘛。這達賴喇嘛原是西藏的國王，被宗喀巴感召而出家。

宗喀巴還有一則溫馨的傳說：據說，宗喀巴離開家鄉以後，他的母親日夜思念，想得不得了。她雖然爲兒子的成就而欣慰，卻總是夢到兒子會回來看媽媽，於是，她在宗喀巴出生的地方，建了一座小塔代表宗喀巴。以後，宗喀巴的信徒們，就在小塔的旁邊，陸陸續續建了許多塔，這些塔愈建愈高，也日益輝煌，甚且鑲有鎏金銅瓦，在陽光照耀下，美不勝收，成爲西藏建築的風格，也代表了西藏的藝術。

根據宗喀巴的遺囑，兩大弟子雖不結婚，卻世世化身轉生，一脈相傳。一直到今天，北自蒙古，南至青海西藏，都是黃教的天下。

【第770篇】

明成祖御駕親征。

明成祖一朝國運昌隆，武功輝煌，討安南，征蒙古，經略雲貴，樣樣出色。

在中國古代，皇帝地位尊貴，國不可一日無君，因此，皇帝很少御駕親征，以免刀槍無情，傷害皇帝。有時，所謂的御駕親征，只是國君在層層護衛之下，在戰場上露個臉，爲士兵們打打氣。

但是，明成祖御駕親征，卻是硬碰硬的上場，絕對是玩眞的。他自建都北平以後，從永樂八年到永樂二十二年的十四年之間，一共五次出征蒙古，雖未能黎庭掃穴，一舉殲滅，畢竟鞏固了明朝的北疆，展現了明成祖的雄風。

永樂八年，明成祖命令上一篇我們提到的名臣夏原吉留守北京，輔佐皇孫，親自率領五十萬大軍出發。北京德勝門外，刀光輝映，戰馬嘶吼，軍旗獵獵，炮聲隆隆，明成祖身著勁裝，昂著頭，挺著胸，威風無比出關。

明成祖離開北京城時，風和日麗，出了居庸關，卻是天氣惡劣，滿地泥濘，一路之上，千辛萬苦，尤其到了清水源一帶，該地水味鹹苦，不能入口，整個軍隊只好乾渴前進。

好不容易到達克魯倫河，卻發現韃靼可汗聽說明成祖大軍前來，早已

逃之夭夭。明成祖立刻決定長驅直入追到底，一直苦苦追到蒙古發源地斡難河邊，與韃靼可汗本雅失里展開一場惡戰，本雅失里丟棄大批物資牲畜溜了。明成祖回程時，又遇到韃靼太師阿魯台埋伏，被明成祖奮勇擊退。明成祖意氣揚揚，在擒狐山時，曾在石頭上留詩一首：『翰海爲鐔，天山爲鍔，一掃風塵，永靖沙漠！』直追當年漢武帝的氣魄。往後幾年，阿魯台乖乖地遣使入貢。

但是，阿魯台終究是想反抗的，當他經過了幾年的休養生息，馬肥兵壯時，又不免蠢蠢欲動了，這時，明成祖又會再度親征。

明成祖帶兵先帶心，所以部下對他又敬又愛又怕。例如永樂二十二年五月，在北征途中遇到一場大雨。北方在五月仍然是相當寒冷，一時之間，噴嚏之聲此起彼落，高級將領當然都換上了乾爽的衣服，可是，一般小兵，只有忍受濕冷的軍服黏在身上的難受。

明成祖停下馬來，高聲宣佈：『軍隊暫停前進，先生火烤乾衣服。』

一旁將領悄聲說：『這一耽擱，怕要耗去不少時辰。』

明成祖的耳朵尖，聽到以後，笑笑解釋道：『古人曾經說過，視士卒如嬰兒一般寶貝，可與他共赴深谿，視士卒如愛子，可以與他一同赴死，我們正需要士卒賣命，豈能不多多體恤！』

明成祖這一著果然管用，士卒們歡呼之聲響徹雲霄，一小隊一小隊，紛紛生起火，脫下濕漉漉的軍裝，湊著火烤乾。換上熱烘烘的軍裝，驅走了不少寒氣，士兵們覺得一股溫暖拂上心頭，這不僅是身體的暖和，更是心頭的一片溫馨，個個都在誇：『陛下不單單會打仗，也挺有人情味的。』

明成祖注意士兵們的衣，更重視士兵的食。民以食爲天，尤其在戰場上殺敵辛苦，北地大漠，荒涼恐怖，士兵們最期盼的，也不過是一頓熱騰騰香噴噴的飯菜，所以，明成祖特別重視伙食。

有一回，軍隊正在紮營，準備憩息，心細的明成祖猛然發現：『咦，運輸糧草的軍隊怎麼還沒到？』

在打仗時，伙食兵派不上用場，所以誰也沒注意到他們落後了。明成祖板起臉來教訓道：『三國時代，曹操戰勝袁紹，就是因爲他燒掉了袁紹的糧草，你們竟然把糧草車留在後頭，這有多危險！』

挨刮的將領們，慚愧地低下頭，剛好肚子也餓了，這才發現糧草車隊的重要，急忙派人去接應。以後，明成祖的糧草車隊，永遠在軍隊裡，受到最嚴密的保護。

不過，明成祖雖然厚恤士卒，卻從來不放鬆軍律。曾有小兵，偷取民間田穀拿來餵馬，明成祖知道了，大爲光火，他把小兵的直屬長官喊來訓斥：『你曉得嗎？民間爲了養兵，已經夠苦了，我們又不缺馬糧，幹什麼還去騷擾民間？』

這個『順手』取了田穀的小兵，當場斬首示衆，明成祖果眞是軍令如山。

永樂二十二年，守邊將軍報告，阿魯台又來襲擾大同了。明成祖這年已是六十五歲，體力精神大不如前。

在此之前，夏原吉曾經苦口婆心勸過明成祖：『過去數年，師出無功，軍馬儲蓄十喪八九，災害迭起，內外俱疲，況且聖躬（對帝王身體的尊稱）欠安，尚須調護，乞求遣將前往，勿勞御駕親征。』

夏原吉原是一番好意，明成祖覺得不是味道，一怒之下，把夏原吉關入了大牢，他還是照著預定計畫親征。

這次親征，明成祖帶著充裕的物資，精銳的部隊，一路之上，卻不見一個敵兵，成祖覺得既無趣又疲憊。

七月回程，軍隊停在翠微岡，明成祖困倦極了，他問宦官海壽：『什麼時候才能回到京城？』

『八月中。』

成祖點點頭，對身旁的楊榮說：『太子這幾年來，對政務日漸熟悉，返回北京之後，我要把軍國大事都交給他，朕得優游暮年，過幾年安和的好日子。』

楊榮回答：『殿下孝友仁厚，天下歸心，一定不負皇上託付。』

七月十六日，到了榆木川，明成祖更不舒服了，只覺得噁心想吐，他忍不住對身邊的人說：『夏原吉是厚愛我的！』

話說完不久，成祖陷入昏迷，十七日與世長辭。大學士楊榮以爲消息不宜外洩，以免影響軍心，因此，暫不發表，只在軍中搜集錫器，鑄成一口棺材，爲免鑄棺的洩密，鑄棺工人一律滅口。

宦官海壽奔回京師，報告噩耗，並且說出成祖死前想念夏原吉，仁厚的太子趕到監獄，呼喚原吉，告訴他這段經過，兩人伏在地上，泣不成聲。
明成祖死後，太子朱高熾即位，是為明仁宗。

閱讀心得

【第771篇】

明仁宗信任楊士奇。

明成祖御駕親征，不幸在榆木川得病而死，太子朱高熾繼位，是爲明仁宗。

明仁宗回想前塵往事，漢王朱高煦是怎樣與他作對，明成祖又是如何偏愛朱高煦，今日終於塵埃落定，感觸甚多。

明仁宗是一個惜福感恩的人，他心中最感激的有兩人，一是蹇義，一是楊士奇。

仁宗把他兩人找來，感性十足地說：『朕監國二十年，爲讒人所陷，內心的痛苦，環境的艱困，我們三人一塊走過，幸賴皇考（指成祖）英明，才有今日……』

說到這兒，仁宗憶起有一回赴明孝陵掃明太祖的墓，明仁宗因爲體型肥胖，不愼跌跤，卻遭到弟弟朱高煦的嘲笑，閉上眼睛，仁宗彷彿又聽到那尖銳刺耳幸災樂禍的狂笑聲，以及一次又一次，朱高煦在仁宗與成祖之間挑撥離間，幸虧楊士奇居中協調。

想著想著，明仁宗悲從中來，竟然忍不住哭了起來，蹇義、楊士奇見仁宗哭，鼻子一酸，也放聲大哭，哭完了，覺得苦盡甘來，不該哭的，君臣三人又相視而笑。

仁宗還特別刻了兩方圖章『蹇忠貞』『楊貞一』賜給兩位忠臣，感念他們與之共患難。

楊士奇是明朝歷史上重要的名臣，值得介紹：楊士奇原名楊寓，士奇是他的字，小時候，楊士奇的父親過世，他隨著母親嫁到了羅家。長大以後，楊士奇了解自己的身世，不願意再姓羅，回到楊家。這時的楊士奇一貧如洗，他卻自得其樂，讀書、寫作，教幾個學童，日子倒也安閒。

建文初年，召集天下儒生修太祖實錄。楊士奇因爲頗有才識，尤其長於文學，經王叔英推薦，在翰林擔任編纂。後來，吏部舉行一個考試，楊士奇的卷子發揮得可圈可點，爲人們傳誦。至此，楊士奇逐漸有了聲譽，也被明成祖所賞識。

楊士奇爲人穩練持重，下朝之後，絕口不提公事，即使再親密的人，也別妄想在楊士奇口中套出半句話，再加上楊士奇舉止恭慎，善於應對，而且往往料事如神，久而久之，明成祖對楊士奇信任有加。

後來，明成祖命楊士奇輔佐太子，可憐的太子老是受到朱高煦的欺負，朱高煦又的的確確有讓明成祖心動之處，總是楊士奇一心一意迴護太子，坦誠告訴明成祖：『殿下天資高，有過必知，知必改，存心愛人，決不負陛下所託。』

成祖雖然是個猜忌心很重的君主，由於他相信楊士奇的耿直，相信楊士奇不會騙他，連帶的，使得太子每次都能轉危爲安，化險爲夷。

因此之故，當太子登上皇位，對楊士奇格外看重，楊士奇也承蒙仁宗另眼相看，更誠惶誠恐盡忠國事。

例如弋謙一事。

明仁宗即位，第一個就拔擢弋謙，擔任大理官。弋謙為求表現，毫不客氣地批評時政：『目下官吏貪錢，遠非洪武時代可比，民不聊生……』明仁宗點頭稱是。弋謙受到鼓勵，又接二連三，一共講了五件，由於愈說愈激動，臉上青筋畢露，彷彿在質詢皇帝似的。

明仁宗臉上掛不住，勉強忍住怒氣。弋謙自己不覺察，尚書呂震、吳中等人一旁察言觀色，聯合御史劉觀等人，派弋謙一個『賣直沽名』的罪名。

仁宗問到楊士奇。楊士奇說：『弋謙不識大體，該受責備，不過，他實在是感激陛下拔擢，力求感恩圖報，希望陛下原諒他。』

仁宗聽了楊士奇的話。不過，仁宗畢竟缺乏歷練，心裡有什麼，全都寫在臉上。以後，仁宗每次上朝，見著弋謙，臉色就特別難看，講話也格外嚴厲。

楊士奇又提醒仁宗：『陛下自己下詔求直言，弋謙直言，卻又遭陛下排斥，現在文武百官都看在眼裡，恐怕不好吧。』

仁宗慚愧道：『這是朕的錯，要改，要改。』

從此，仁宗對弋謙盡量擺出笑臉。但是，已經來不及了，再沒有臣子敢講直言。楊士奇稟告仁宗：『陛下必須親降璽書說明此事。』仁宗也就依了楊士奇。

明仁宗與楊士奇水乳交融，仁宗信任楊士奇，但也爲他的耿直憂心，掛慮楊士奇的直來直往，可能得罪小人而不自知。

洪熙元年正月裡，有一次上朝，兵部尚書李慶上言：『今年馬養得多，除軍用外，還剩下數千匹，不如把官員們集中在京城，讓他們人養一匹，課他們的稅。』

李慶話還沒有說完，楊士奇忍不住高聲反對：『這怎麼可以？朝廷選賢授官，而使之牧馬，這是貴畜牲而輕士人也，如何向子孫後代交代？』

仁宗顧左右而言他，故意不談這件事。後來，楊士奇又力爭，仁宗還是擱著。

過了一陣子，仁宗才把楊士奇找來，體貼地對楊士奇說：『朕那兒是眞忘了，只是朕聽說呂震、李慶這批人不喜歡卿，朕擔心卿在朝廷被他們孤立，被他們傷害，所以故意不在朝上裁決。』說著，仁宗掏出陝西按察使陳智上書『養馬不便書』，表明他不會讓士人去養馬的。

仁宗又對楊士奇道：『以後政令不當之處，你私下裡秘密告訴朕，李慶輩不識大體，你用不著與他等辯論，只是李慶是先朝舊人，我不好不用他。』

仁宗這番話，既細膩又懇切，楊士奇聽了，整個人呆住了，只覺無法報恩。

閱讀心得

【第772篇】

楊榮處事鎮靜。

明成祖親征塞北，回師途中，行至榆木川，突然暴斃。

皇帝崩逝，是一件舉國戴孝的大事。事實上，榆木川之後，明朝曾經規定了大喪儀制，全民凡有婚嫁，官停百日，軍民停一個月。同時，自大喪之日起，禁屠宰四十九日，停音樂百日，所以老百姓即使一個月以後可以完婚，但是，卻是只能準備素筵，也不許咪哩嗚啦地吹吹打打抬花轎。

由此可見，皇帝的大喪，在中國古代可是了不起的大新聞。

但是，成祖崩逝的當時，遠在榆木川的少數官員可緊張著，不敢對外透漏隻字。

宦官馬雲嚇得腿都軟了，幸而神志還清醒著，他悄悄地找了成祖生前最信任的楊榮、金幼孜前來密談。

一向機警受到成祖賞識的楊榮首先表示：『六師在外，去京師尚遠，只好秘不發表。』

金幼孜也說：『如今也只好如此，否則，軍心大亂，韃靼正好乘機近戰，後果將不堪設想。』

但是，任著成祖遺體發臭也不是辦法，這才決定找了工匠，先用軍中的錫熔化，鑄成一口棺材，暫時把錫棺就秘密放置在車輛之中，爲求確切

保密，參與製棺、抬棺者一律處死。

楊榮同時蹙眉交代馬雲：『切記，自榆木川到京師，一路之上，朝夕進膳一如往昔，不可讓任何人起疑竇。』

馬雲點頭：『我一定小心。』

幸而馬雲一直跟在成祖身旁，他平日食量多寡，那樣菜會吃多少，剩多少，馬雲全都清楚。所以成祖雖然歸天，在外人看來，一切起居如常，至於多日不見天顏，也許是爲風濕所苦，成祖風濕嚴重，臂膀痠痛，這是人人都知道的。

成祖駕崩，太子不可不知，卻又不能以成祖身分，命太子即位，楊榮說：『先帝在，則稱敕（指帝王的告誡式命令），如今先帝賓天而稱敕，這是欺詐，誰有幾個腦袋，擔得起如此罪名？』

最後，商量的結果，決定由楊榮與宦官海壽先趕回京師，報告消息。

按明成祖是永樂二十二年七月十七日過世的。七月十三日，途經翠微岡，成祖還在對宦官海壽說：『回去之後，要把王位傳給太子，朕享幾天清福。』所以，讓楊榮與海壽一塊回去最爲恰當。

他二人悄悄地離開軍營，避人耳目回到京城，太子大驚失色，忍住哀痛，命皇太孫連夜趕赴開平，坐鎮指揮一切。

於是，皇太孫於八月十一日到達開平，這才正式對外發佈消息，成祖崩逝。

一時之間，全軍譁然，因爲自七月十七日到八月十一日，明成祖飲食、行禮、奏事，一切一如往昔，怎麼全是障眼法？

幸虧楊榮等人處變不驚，應付突發狀況得當，不然的話，難保會發生什麼差池。不說別的，單單是一心效法唐太宗的漢王朱高煦，若是早一步知道成祖賓天，難保會有什麼驚人舉動。

楊榮的心思細密，處事周延，明成祖早就發現，而且非常欣賞。明成祖初遇楊榮，是在明成祖攻入南京城之時，成祖志得意滿一心早日登大位。楊榮當時擔任編修，他前來謁見成祖問道：『殿下是先謁陵乎？先即位乎？』

楊榮這一句話，宛如當頭棒喝，一語驚醒夢中人。成祖心忖『好險！』他違反太祖遺命，爲與建文帝爭奪皇位，已經是大逆不道，若再急急登位，不趕快去太祖陵墓致敬，不曉得該被天下人如何斥為不孝。

成祖當下回答：『自然是謁陵為先。』

從此以後，成祖對楊榮另眼相看。

楊榮是建文二年的進士，不但學問好，而且腦筋靈活、反應迅捷，成祖自己也是個聰明人，特別喜歡楊榮的慧黠。

在文淵閣同值的七人之中，楊榮年紀最小，卻最討喜，他倒不是擅長巴結，而是有獨到的分析推理本領。

有一回，成祖收到寧夏被圍的軍報，非常著急，文淵閣中其他人都不在，獨有楊榮留守。

成祖把奏章交給楊榮，愁眉苦臉道：『你看看吧。』

楊榮仔細看過，分析道：『寧夏城堅，人皆習戰，再說，這是十多天前上的奏章，依我之見，寧夏之圍已解，陛下用不著過分操心。』

成祖聽了，覺得心情好過一點，不過仍然忐忑不安。到了半夜裡，果然太監來報，寧夏之圍順利解除。

成祖好樂，第二天，他帶笑問楊榮：『你怎麼料事如神？』

楊榮道：『豈敢，不過依常理推測吧。』

以後，一連許多樁事，楊榮都表現了料事如神的本事，明成祖愈發欣賞楊榮。

明成祖是不苟言笑的君主，經常是面目嚴冷，讓人望而生懼，成祖也有意擺出威嚴，希望建立神聖不可侵犯的形象。可是，每回楊榮一出現，成祖不自覺地嘴角上揚，露出微笑，難掩心中的歡喜。

永樂五年，成祖命楊榮赴甘肅經劃軍務，視察軍堡。楊榮歸來之後，在武英殿向成祖報告經過。楊榮態度大方，娓娓道來，有條不紊，顯出他觀察深入，腦筋清楚。

成祖情不自禁，拿起小刀，切了一片瓜，親自交給楊榮，對他說：『你這趟辛苦了！』

過了兩年，楊榮母喪請歸，成祖不許，因為成祖親征，他要把楊榮帶在身邊，楊榮雖然是個文弱書生，不能上戰場，卻是極佳參謀，一流軍師。

成祖這一著果然是對了，在屢次成祖親征之中，楊榮都發揮了長才。一直到成祖過世，榆木川的一段，楊榮表現得可圈可點，成祖到底懂得用人。

閱讀心得

【第773篇】明宣宗即位。

明仁宗是超級胖子，即位以後，也許是當皇帝責任過重、壓力太大，因此，仁宗在位僅短短的一年，重病而死，死時方才四十八歲。後代的史家無不惋惜，以仁宗的政績，若是天假以年，應能夠再造文景之治。

仁宗崩逝，兒子朱瞻基（宣宗）急急自南京趕來奔喪。漢王朱高煦接到消息，準備在半路攔劫，搶奪皇位，可是，到底過於倉促，朱高煦的計謀未成。

明成祖對兒子明仁宗百般挑剔，總認爲他不及朱高煦可愛。不過，對於明宣宗這個乖孫子，可是一千兩百萬個滿意，甚且明成祖最後願意把皇位讓仁宗繼立，也是仁宗叨了宣宗的光。

宣宗到底魅力何在？

按明宣宗，誕生在洪武三十一年，一說是在建文元年。當時明成祖還只是燕王，已經有謀反的野心。

據說，朱瞻基出生的前一天，燕王夢見明太祖拿了一塊大圭（圭是上圓下方的瑞玉，爲古代天子與諸侯所執。）交到燕王手中，對他說：『傳之子孫，永世其昌。』燕王醒來，覺得這個夢十分吉祥。第二天，小嬰兒呱呱墜地，燕王大樂，認爲其夢應驗，是明朝的好兆

頭，取名爲朱瞻基。

小娃娃滿月的那一天，祖孫倆頭次見面，燕王見小娃兒頭髮濃密、臉圓圓的、皮膚細細嫩嫩的，好可愛的樣子，完全與夢裡的一模一樣，忍不住驚呼：『我一個月以前，他還沒出生，就見過他了。』

燕王把夢敘述了一遍，衆人都笑得合不攏嘴，燕王望著小嬰兒，意味深長地說：『小兒英氣溢面，我大明朝之福也。』

燕王不說，大家還不覺得，被他一提，這才發現小嬰兒不但可愛，還挺有威嚴的，哭起來，兩道濃眉湊在一塊，眞具有小王爺的氣派。

從此開始，燕王就愛定了這個小孫子，認爲他帶來福氣。永樂七年，當了皇帝的成祖親自牽著小孫子的手，參觀農具及田家衣食，告訴孫兒一些民間疾苦，旁邊的人都竊竊私語：『陛下平日面目嚴冷，只有看到孫子的時候，才有慈愛的笑容。』

永樂九年，宣宗正式被立爲皇太孫，這一年，他弱冠滿二十歲，開始跟著爺爺成祖南征北討。成祖對宣宗疼愛有加，還找了胡廣在軍中爲他講論經史，難得的是宣宗悟性極高，上馬打仗，下馬作文，樣樣不含糊，胡廣每回在成祖面前誇宣宗：『此他日太平天子也。』成祖最愛聽這一句話。

這會兒，宣宗即位，朱高煦一向看不起仁宗，討厭他這個小娃兒，朱高煦心想，機會來了就不要放，積極謀劃造反，秘密派遣親信枚青潛赴京師，邀請張輔爲內應。

張輔是明成祖身邊的一員猛將，曾經四度討伐交阯，他最爲人所津津樂道的是，永樂十一年，大軍征交阯，交阯動用大批象隊，張輔先是一矢射象旁的奴兵，接著就專門射象鼻子，大象護痛，到處亂闖，把象陣給破壞了。大象的噸位重，原本明軍是極爲恐懼的，等到看到象群大亂，自相踐踏，整個原野爲之震撼的壯觀鏡頭，不能不佩服張輔有一套。

張輔問枚青：『漢王是希望我擔任內應？』

枚青點點頭。

張輔二話不說，一把捉住枚青的手就去見宣宗，張輔力氣大，枚青根本無從招架，只有乖乖跟著去認罪。

在此同時，朱高煦已經發動部署，甚且任命了王斌等人爲太師、尚書、都督等官職，儼然已擺出皇帝的譜來了。

一直拖到這個時候，宣宗仍然不忍出兵，他總認爲，不管如何，朱高煦總是叔叔，這場戰爭，能免則免。

於是，宣宗派了太監侯泰，帶了一封信去見朱高煦，希望他回心轉意。朱高煦可不領情，依照規矩，朱高煦應該誠惶誠恐接過聖旨，他卻倨傲地南面坐（古代君王、諸侯接見群臣，或卿大夫見僚屬都是坐北朝南），大言不慚地對侯泰說：

『靖難之時，如果不是我出死力，怎麼會成功？成祖聽信讒言，削我護衛，徙我樂安，仁宗只曉得用金帛誘惑我，今上處處以祖制繩治我，我是什麼人？豈能長久鬱鬱於此？』

接著，朱高煦領著侯泰參觀兵馬軍器，狂妄地自誇：『我用此可以橫行天下，你也看到了，回去跟你的主子說吧！並且把奸臣夏原吉給我綁來，你聽清楚了嗎？』

侯泰死命點頭：『聽清楚了。』

可是，回到京城，侯泰卻沒這個膽量報告宣宗，什麼話都不敢說，彷彿突然之間變成一個啞巴。

跟著侯泰一塊去的錦衣官可憋不住了，他一五一十全報告了宣宗。

一向好脾氣的宣宗終於發火，他把十個指頭用力掐弄，發出喀喀的聲音，好半天才開口：『漢王果然造反！』

宣宗立刻派薛祿帶兵討伐。

到了半夜，宣宗召集大臣，舉行秘密會議，大學士楊榮第一個發言：

『不如聖上親征。』

張輔則猛拍胸脯：『高煦的事，包在臣身上，只要撥給臣兩萬兵隊，保證沒問題。』

夏原吉也贊成宣宗親征，而且愈快愈好，他說：『兵貴神速，事不宜遲。』

於是，宣宗決定揮兵親征，他問左右：『你們認爲漢王策略如何？』

有人說：『漢王目前所在的樂安城小，漢王一定先取濟南爲巢窟。』

宣宗搖搖頭道：『不然，濟南雖近，不易攻，朱高煦外強而中乾，他之所以敢反，是因爲輕視朕年少新立，必不肯親征，現在聞說朕親征，一定心驚膽戰。』

果然，朱高煦當初知道薛祿前來征討，心花怒放，以爲勝利成功在望，後來聽說宣宗親征，心涼了半截，又聽說宣宗重金懸賞高煦人頭，不禁大呼：『這下慘了！』

樂安城裡，議論紛紛，大家都在商討，如何把朱高煦綁了去領賞，以免戰火毀了樂安城。在這樣的四面楚歌之下，朱高煦終於出門投降。

閱讀心得

【第774篇】

明宣宗獄中驚魂。

明宣宗即位，漢王朱高煦終於叛亂。宣宗接受楊榮的建議，毅然親征，樂安城中人心瓦解，朱高煦手下甚且準備逮捕朱高煦獻城。

最後，朱高煦走投無路，心不甘情不願出門請降，宣宗逮捕高煦父子，朱高煦恨恨地自言自語：『這一回是死定了。』

但是，朱高煦竟然沒死。明宣宗心腸軟，不忍心處死親叔叔，只是把朱高煦父子貶爲庶人，囚禁在西安門內的逍遙城，名爲逍遙，當然，獄下因是無論如何也逍遙不起來的。

至於朱高煦造反之後，天津、青州、滄州等都督指揮舉城響應者，當然是饒不了的，一共殺了六百四十多人。比起太祖、成祖時代動輒株連，宣宗的確是手下留情。

明宣宗手下留情，饒朱高煦一命，朱高煦可不領這個情，他自覺皇位該是他的，奈何天不從人願，既然事敗，乾脆賜他一死，如今判個終身監禁，求生不得，求死不能，朱高煦眞正是怨死明宣宗了。

明宣宗不明瞭朱高煦的心理，在他看來，朱高煦罪該萬死，宣宗網開一面，饒他不死，眞正是皇恩浩蕩，宣宗有時想想自己的寬厚，都會被自己感動。

宣宗宣德四年，宣宗一時興起，信步走到西安門內，探視朱高煦。在宣宗來說，朱高煦應該感激他不殺之恩，尤其，宣宗也沒殺高煦之子，算是爲朱高煦留了後代。

宣宗走到朱高煦面前，朱高煦一見仇人來了，分外眼紅，尤其宣宗進來，前簇後擁的皇帝氣派，讓朱高煦看了相當難受，因此，朱高煦故意閉起眼睛裝作打盹。

宣宗走近幾步，想看清楚一點，朱高煦趁其不備，長長伸出一腳，把宣宗勾倒在地，宣宗跌疼了屁股，氣得大呼：『快快，快用大銅缸把這個賤人蓋住。』

衛士們也慌了，誰料得到銬上腳鍊的朱高煦會來這麼一招。

三四個衛士抬起了三百斤重的大銅缸，用力壓在朱高煦身上。換作普通人就算沒壓成肉餅，也是動彈不得。

朱高煦卻『嘿嘿』一笑，竟然雙手擎起大缸站了起來，還把缸在手上舞著，到底是練過武功的，小小露一手。

已經被嚇壞，遠遠躲在一旁的宣宗大喝：『丟紅炭，趕快丟紅炭。』監獄裡旁的沒有，用來燒人的紅炭最多，大夥七手八腳，拿著叉子，對準銅缸，發射燒得燙滾滾的木炭，不一會兒工夫，火愈燒愈旺，直燒得銅缸熔化，朱高煦被活活燒死，空氣中飄浮著難聞的焦肉氣味，也似乎仍有朱高煦猙獰的笑聲，在四周迴旋。

宣宗走出逍遙城，雙腿發軟，心臟撲通地跳個不停，且有強烈的挫折感，他不解道：『奇怪，朕待朱高煦不薄，他爲何要如此回報？眞正是人心險惡。』

於是，朱高煦被燒死之後，朱高煦幾個兒子也先後被伏誅，宣宗心有餘悸自忖：『上一次當，學一次乖，留著總是禍害。』

幸而，宣宗本性敦厚，因此，雖然受到教訓，他仍不改其善良作風。例如，有一回，他外出，偶爾見到幾個農民在烈日之下耕種。宣宗自小生長在深宮，沒見識過農事，雖然成祖帶他參觀過農具，仍然覺得挺新鮮。

宣宗帶著幾個官員走到田埂，親切地垂詢農業收成狀況，他好奇地問一個老農：『你手上拿著的是甚麼？』

『喔，這是耕田用的犂耙。』

『可不可以讓朕推一下？』

老農尷尬又靦腆地推托：『這種粗活很累人的，皇上怎能耕田？』

宣宗笑道：『沒關係，朕且試一試。』

聖旨豈能違抗？老農用布把犂耙擦乾淨，交給宣宗。

宣宗輕輕一推，學老農的樣，竟然推不動，勉強推了三下，土也沒挖鬆，人已經累得喘氣，背後的汗也濕了一大片。

宣宗不好意思地，把犂耙給了老農，對他說：『朕才推了三下，就已經吃不消了，更別說長年累月耕田了，人們常說，勞苦者莫如農家，這話眞是絲毫不假。』

回宮之後，宣宗依然念念不忘，他親自寫了『織婦詞』分送朝臣，並且找人畫了一幅農家圖掛在宮中，目的是要大家明瞭民間疾苦。

宣宗主張節儉，而且帶頭節儉，反對奢侈，減輕賦稅，停止建設宮殿。

宣德四年，工部尚書吳中啓奏：『山西圓果寺是國家祈福之處，現在舊塔損毀，不堪使用，請求復建，徵調力役。』

自從宣宗上任，工部眞是閒得沒事可幹，宮中非但沒有新的建設，連維修也常惹得宣宗不悅。唯一能夠大規模修建的仁宗陵墓，宣宗也力求節約，理由是『這是先皇的遺囑』。父子二人倒是有志一同，在宣宗親自規畫之下，短短三個月就完成了陵墓。和明太祖明成祖的陵墓簡直是沒法子比擬。

工部工作輕鬆，更無油水可撈，上上下下，個個唉聲歎氣，好不容易想出這個山西圓果寺的小案子，而且是爲國家祈福用的，滿以爲總該可以破土了吧。

沒想到，宣宗還是不肯，他問吳中：『你是想修寺求福嗎？我倒是想安民求福，所奏不准。』

宣宗非但自己不輕易徵調力役，他也下令皇室勛戚一律不准侵擾百姓。在歷史上，像宣宗這般不擾民的皇帝，還眞的不多見。

閱讀心得

【第775篇】馬后、徐后、張后三代婆媳情深。

明成祖傳位給明仁宗，主要是疼愛仁宗的兒子宣宗。此外，還有一個極爲重要的原因，那就是明仁宗的皇后張皇后，深得明成祖夫婦的喜歡。

先說明成祖的皇后徐后。徐后可是一等一的好婆婆，對媳婦百般呵護。當然，徐后也是一位幸運兒，她的婆婆馬皇后，更是歷史上難得一見的賢后。

馬皇后是明太祖的皇后，雖然長得粗手大脚，令人不敢恭維，卻具有眞正的內在美，是朱元璋一輩子的最愛。

記得在朱元璋沒有發達以前，馬皇后爲一解朱元璋的饞，曾經跑到廚房偷拿剛出爐的熱餅，不小心被人發現，往懷裡一塞，結果胸前爛了一大片，朱元璋每思念及此，心中有說不出的感激與憐愛。

馬皇后是如此的善良，所以，當她飛黃騰達，當了皇后之後，努力提倡婦德。由於她自己沒有讀過書，特別欣賞媳婦徐后朗誦劉向所著的《列女傳》(列女乃舊時指有節操的女子，列同烈，有貞烈之意)，婆媳二人一塊討論中國古代貞節婦女，並且暗暗以此爲榜樣，因此，互相容忍，相親相愛。

馬皇后死後，徐后本著婆婆的遺命，另外撰寫《內訓》一書，書中所

講的，不外是修身養性的東西。按徐后乃是開國功臣徐達的長女，畢竟家世教養不一樣，才有寫書的本事。

原先《內訓》一書，不過是給皇太子看的，到了永樂五年，徐后過世，成祖因爲追念她，遂把此書頒賜給臣民，後來，就非常的流行。

到了清朝初年，有一個叫王相的人，把《內訓》一書與班昭所寫的《女誡》，宋若華所寫的《女論語》，以及王相母親所寫的《女範捷錄》四本書合起來，訂爲一本《女四書》。女四書就此流行傳遍於妝樓繡閣之間。

當徐后由多年媳婦變成婆時，或許是沒嘗過受煎熬的滋味，因此，她也疼媳婦們，尤其是明仁宗的皇后張皇后。

永樂二年，後來的明仁宗，正式被封爲太子，張氏被封爲皇太子妃。

　　張妃不但生了一個白胖兒子，深得成祖與徐后的喜愛，她的雍容大方，謹守婦道，更讓公公婆婆讚不絕口。

　　太子因爲體型肥胖，行動不便，無法上馬，更別提射箭，所以，懷有野心的朱高煦老是數落他，常想取而代之。

　　成祖三番兩次，減少太子宮中膳食，也有好幾回，幾乎都想換太子，可是想到張妃如此賢慧，她所生的小寶貝這般可愛，最後還是讓太子繼承皇位，是爲明仁宗。

　　仁宗即位，不知是否體型過肥，罹患了高血壓糖尿病之類的疾病，不到一年，仁宗就去世了。張后含淚忍悲，以太后的身分，協助宣宗。

　　張太后的賢德，聞名中外，深受民衆的愛戴，四方的貢物，無不爭相獻給太后。

宣宗宣德四年，宣宗與太后一同謁陵，宣宗爲了表示孝順，曾經親身下馬扶輦（輦是皇帝坐的車子）。

皇帝扶馬輦，這可是轟動得不得了的大事，兩旁的人潮，密密地圍了一圈又一圈，就差沒有擠死人。所有的人都提高著嗓子齊吼：『皇帝萬歲！』『皇帝萬歲！』『太后萬歲！』

坐在車裡的太后，忍不住回過頭來，對宣宗說：『你瞧瞧，老百姓如此地擁戴國君，皇帝應該勤勞政事，造福大衆。』

宣宗趕緊點頭稱是，感謝母后的教誨。

回宮之前，經過一農家，張太后特別召見一位老婦人，老婦人叫做周大嬸，周大嬸又歡喜又不安地猛搓裙襬。

張太后和顏悅色地問道：『今年收成如何？』

周大嬸靦腆地回話：『托太后的福，還算不差。』接著就期期艾艾講不下去了。

聽說太后駕到，村裡的人都把它當成這輩子最大的盛事，忙著獻酒，獻蔬果，張太后含笑接受：『這是道道地地的田家風味，咱們帶回去嚐嚐看。』

張太后不但在民間享有聲望，在朝廷之上，更是得到臣子們一致的擁護。

有一回，太后在殿上召見張輔、蹇義、楊士奇、楊榮、楊溥、金幼孜，誠誠懇懇對他們說：『你們都是先朝的舊人，要好好輔佐皇上。』接著，張太后又正色地告訴宣宗：『這幾人是先朝所留給你的，凡事你要與他們商量，他們若是不贊成，你就不能做。』

宣宗回答：『記住了。』

又一回，宣宗對楊士奇說：『母后謁陵回來，又對朕提到一些，她說，張輔武臣也，通曉大義，蹇義厚道小心，但是優柔寡斷，只有你，行事方正，無所畏懼，先帝有時候也會不悅，最後還是接受你的意見。又有三件事，常常後悔沒聽你的。』

張太后雖然極有權威，卻一向不濫權，她對自己娘家約束甚嚴，深恐重蹈東漢外戚干政事件。

張太后有一個小弟張昇，十分地優秀，而且淳良敦厚，但是，張太后怎麼樣也不許張昇插手國事。

張太后的自重自愛，在歷史上留下了美名。

閱讀心得

【第776篇】孫家小美女進宮。

張太后是明仁宗的皇后，雖然明仁宗在位僅僅一年便匆匆過世，但是，張太后的一生卻稱得上幸福與充實。

張太后還是太子妃時，甚得成祖與徐后公公婆婆的喜愛。她所生下來的寶貝兒子朱瞻基被認爲是吉祥之兆，太子對張妃又敬又愛，還得靠她討父母的歡喜。

等到仁宗歸天，宣宗即位，她的聲譽更隆，宣宗又非常孝順，讓太后感到相當欣慰。

對張太后而言，這輩子唯一做錯，且不能原諒自己的事，便是當初不該讓孫妃進宮，可是，孫妃當年的美艷可愛，又有誰會料想得到以後的事呢？

說起來，那還是張太后還在張妃時代的往事了。

張妃是永城人，因爲張妃的緣故，她父親在洪武二十年被封爲兵馬副指揮使，沒多久就過世了，追封爲彭城伯。

張妃與張夫人母女情深，張夫人自幼疼女兒，長大以後，張妃入了宮，張夫人仍不時前來探望，閒話家常。

張夫人是個樂觀開朗，最愛幫助人的善心人，她交遊甚廣，每次入宮，

都能把張妃逗得笑個不停，捨不得母親大人走。

張夫人有次前來，用最驚奇的口吻敘說：『我最近看到了咱們永城縣主簿孫忠的小女兒，雖然才十歲，一點點大，美得啊，簡直是小仙女一般，看到的人沒一個不誇的。』

下一回來，張夫人又形容：『這個小女孩兒眼睛亮亮的，鼻子翹翹的，怎有人長得如此俊俏？媽媽我是開了眼界。』

再一次來，張夫人的話題，仍舊繞著孫家小女兒身上打轉：『你不曉得啊，這個小美人愈長愈美了，咱們永城怎出了如此絕色。哎，我說了半天，你還是沒法想像她多迷人。』

說著，張夫人微閉了眼睛，彷彿陶醉其中。

張夫人的審美眼光一向挑剔，女人對女人，稱讚不容易，即使是人見人誇的大美人兒，張夫人總會皺皺鼻子挑剔：『皮膚太黑。』『人胖了些。』也不曉得孫家小美女到底有多可人，讓她母親這般推崇。可惜，入了宮，當了妃子，不能到處亂跑。

因此，張妃便笑道：『您每回說，說得我眞是好奇萬分，不如這樣吧，娘下回進宮，把她給帶來，讓咱們也開開眼界。』

『好！』張夫人一口答應，深覺這是平淡生活之中挺有趣的一件事。

沒兩天，張夫人便獻寶似的，牽著孫家小女兒入宮了。爲了進宮，還特意打扮一番。人要衣裝，佛要金裝，這小美人兒換上漂亮的衣服，愈發亮眼了。

這個小女孩，也眞不簡單，第一回進宮，一點兒也不畏懼，她挺一挺腰，雙眼平視著，不慌不忙走上台階，向張妃請安。

張妃一細看，倒抽一口氣，孫家小女孩，雖然還梳著兩個丫髻，卻完全不似小女孩，倒像是一個女人了，這般的國色天香，難怪連張夫人這個老人家也被迷住了。

張妃捏一捏孫家小女孩的臉蛋，問她幾歲了，父親是甚麼人。答得清清楚楚，聲音嬌聲嬌氣，嗲到極點。

聽說張妃房裡來了一個稀世美女，許多宮女都圍攏過來指指點點評頭論足。有人誇她鼻子尖挺，也有人讚美她眉毛生得好。

小女孩兒面對眾人的指指點點，沒有絲毫羞赧，大大方方站著讓人欣賞，臉上透著自信，顯然是曉得自己生得俏麗，也經常被人誇讚。

張夫人坐在一旁，帶笑看著眾人指指點點，心中可得意著，大有：怎麼樣，我老人家可沒說錯吧。

張夫人一時興起，半開玩笑道：『張妃既然喜歡你，你就留在宮裡玩，別回去了。』

換作一般小孩子，一定會吵著要回家，孫家小妹妹可不，她嗲嗲地嬌笑道：『張妃疼我，我願意留在宮裡陪伴張妃。』

張妃楞了一下，她一向不太喜歡太甜的人，這個小丫頭，過於靈慧，不是好事。但是，此念頭一閃而逝，尤其孫家小女孩，甜甜地朝張妃一笑，又默默低下頭去，嘴巴抿著，顯出好看的弧形，愛美是人的天性，張妃就把小女孩兒留在身邊。

張夫人歡天喜地的走了，臨走時，得意地說：『我生了一個妃子，今天又帶來一個未來的妃子，眞有意思。』

明成祖聽說媳婦張妃帶來一個小美女，也好奇地想來看看。中國古代後宮號稱三千粉黛，其實選佳麗多半挑身世，眞正美麗非凡的並不多見。成祖一見孫家小美女，即使是能當爺爺的年紀，卻也被她的美色所吸引，他心想：『朕一輩子還沒見過如此花容月貌，待她長大了，不曉得多少男人會盯著看，朕沒這個福氣，不過，不過倒是可以把她留給我的乖孫。』於是，成祖吩咐張妃：『好好地把她養大，將來可以給我的乖孫當妃子。』

孫家小美女聽到了，心中暗喜，臉上卻一絲表情也沒有，完全是喜怒不形於色，張妃發現了，心中盤算著：『小美女不簡單。』

皇太孫聽說宮裡來了一個年紀與他相若的小女孩，特別找個機會過來瞧瞧，孫家小美女向皇太孫問安，皇太孫只覺耳中嗡嗡作響，完全沒有聽清楚她的話，因爲她的笑容極甜，嘴唇極美，皇太孫心無二用，眼中集中全神，耳中自然聽而不聞了。

小美女看出皇太孫兩眼何以發直，心中暗暗高興著。

閱讀心得

【第777篇】仙女原來是巫婆。

張妃的母親每次入宮，總是誇獎永城縣主簿孫忠的女兒有多麼美麗，有一回，張夫人把孫小妹帶入宮內，果然是美艷絕倫，於是，孫小妹就被留在宮中。

孫小妹愈長愈標緻，已經不能稱為小妹，而是亭亭玉立的少女了，她無論走到何處，都有人投以驚艷的眼光，她對自己的容貌也更具信心。沒事時，總是一個人，托著腮幫子，對著銅鏡發呆，並且癡癡迷迷地自言自語：『天啊！我生得如此美艷，簡直是仙女，不，仙女也比不上我。』說著，用手輕撫臉蛋。

張妃不認爲這是好現象，總是婉言規勸：『婦容固然重要，婦言、婦德、婦功同樣重要，此之謂婦女四德。』說著，張妃把她婆婆徐后所寫的《內訓》一書交給孫家少女，正色地說：『好好研讀，對你很有用的。』

張妃的話，孫家少女那兒聽得進去，但是，表面上，她用力地點點頭：『多謝教誨。』

等到張妃一轉頭，孫氏順手把書一拋，扔得老遠，瞧都不瞧一眼。然後，把鼻子貼近銅鏡，努力端詳著自己，陷入自戀之中。

這一切，張妃都看在眼中，暗暗嘆一口氣：『孺子不可教也。』

外表看來，孫氏非常善良，彷彿一隻小螞蟻也不忍傷害，與天使一般溫柔，當她抱起小白兔輕輕撫弄，旁人讚美：『你們看，這一人一兔都是世間至美。』

孫氏聽了不悅，抱著小兔子走到草叢，用力捏著兔子的耳朵，重重地摔在地上，氣憤地說：『你也配與我相比嗎？』

張妃正好走過，聽到孫氏的惡言惡語，很不以爲然，走過來準備責備，孫氏機警，立刻抱起小白兔，萬分憐惜道：『小兔子，好可憐，你怎麼被石頭割傷了耳朵？』

張妃氣極，卻不想再開口指責，說了也沒用，孫氏只會張著一雙大眼睛，眨著長睫毛，一臉無辜，倒像是張妃不懂得憐香惜玉似的。

孫氏轉眼之間，又變回溫柔美麗的天使了。

張妃不想再直接指出孫氏不當，卻不自覺一臉鄙夷，皺緊眉頭冷冷而去，孫氏當然也敏感地發現張妃不以爲然。

通常，在宮闈中求生存的女子，都學會了一套演戲功夫，每個人臉上都帶著笑容，似乎親熱得不得了，骨子裡卻藏著一把刀，隨時捅出來。

張妃的情況有點兒不一樣，她自幼受到父母的寵愛，入宮之後，又得到公公婆婆的歡喜，丈夫的敬愛，所以用不著演戲。同時，又因爲幫助太子對付朱高煦小叔的欺負，無形之中磨練了一身精幹與正直。

張妃了解孫氏是怎樣的人以後，她暗暗下了一個決定，以後爲皇太孫選太孫妃時，可千萬不能選孫氏，雖然太孫是如此著迷孫氏的美貌。

張妃愛子心切，幾經物色，多方打聽，終於選了一位張妃心目之中理想的媳婦——胡善祥。胡善祥出身世家大族，嫻靜貞良，雖不及孫氏嫵媚，卻是氣質典雅，落落大方。

永樂十五年，成祖爲心愛的孫兒選妃，胡善祥爲妃，孫氏爲嬪，妃與嬪相比，顯然孫氏略遜一籌，孫氏非常生氣，打她十多歲初進宮，她就一心一意當皇后娘娘的，這會兒被硬生生壓了下去，她心頭彷彿打翻了一缸醋。但是，表面上卻完全不動聲色，誰也猜不透她的心思。

後來，成祖去世，仁宗即位，仁宗當了一年皇帝就過世了，張妃也由張后成爲張太后。同時，宣宗即位，胡善祥成爲皇后，孫氏成爲孫貴妃。

孫貴妃原本靈巧，自幼生長深宮，更練就了種種手段，胡皇后生長環境單純，人又厚道，原先還以爲孫貴妃是善良的仙女，所以完全不擺皇后的架子，人前人後誇讚孫貴妃。

孫貴妃看看時機到了，趁著四下無人，開始百般欺負胡皇后，胡皇后從來沒有被人兇過，也從未斥罵過人，她被孫貴妃喝斥，整個人呆住了，胡皇后不敢相信，那尖拔高亢的潑婦罵街竟然出自孫貴妃口中。

胡皇后若是機警，她該立刻回頂過去，畢竟皇后是母儀天下，畢竟皇后是掌管後宮所有妃嬪。可是，胡皇后太老實了，她又羞又氣，想到平日對孫貴妃的禮遇，情不自禁落下淚來。孫貴妃瞧不起胡皇后的懦弱，揚長而去。

當天晚上，胡皇后發燒、咳嗽，自此以後，胡皇后身體從來沒有好過。胡皇后缺乏鬥爭經驗，只曉得忍耐，她退一步，孫貴妃進一步，胡皇后嚇得乾脆躲在病床之上，蒙著枕頭哭到天明。

這一切，張太后都看在眼中，她數次詢問胡皇后，胡皇后是厚道人，總是回答：『沒事，沒事。』

張太后問：『是不是孫貴妃太過分了，你是皇后，該拿出一點皇后的氣魄來。』

問題是，胡皇后一見孫貴妃就害怕，一聽到她甜軟嬌嗲的聲音，馬上聯想到孫貴妃鋒利尖酸的猙獰面目，天啊，仙女變女巫，太可怕啦。

孫貴妃心知肚明，胡皇后不是她對手，同時，明宣宗也被孫貴妃的美色，迷得昏昏沈沈。

孫貴妃集三千寵愛於一身，她也不准明宣宗去找其他的妃嬪。再下一步，孫貴妃就要把皇后位置搶到手才好。

可是，廢后在中國古代，可是大事一件，該怎麼樣才能得手呢？孫貴妃琢磨著，盤算著，她有不計一切，不擇手段的旺盛企圖心。

閱讀心得

【第778篇】孫貴妃恃寵爭權。

明宣宗的皇后胡皇后，性情嫻雅，溫柔敦厚，奈何『人善被人欺，馬善被人騎』，處處受制於外表嬌美動人，內心深沈詭詐的孫貴妃。

最初，宣宗對於母親張太后安排胡氏爲皇后，孫氏爲貴妃，並不反對。反正左擁右抱，全是他的人（皇后是妻，貴妃爲妾），何況，自古以來，皇后一向標榜的是母儀天下，胡皇后知書達禮，的的確確比較當得起『母儀天下』四個字。

明宣宗的學問極佳，嗜愛書本。正巧，胡皇后出身世家，飽覽詩書，才情極高。因此，宣宗覺得，與胡后談論詩文，也是一樁樂事，這與孫貴妃撒嬌獻媚，風情萬種，又是不同美妙的滋味。

孫貴妃看到宣宗竟然能與胡皇后談論詩文，心中醋味大發，一有機會她就依偎在宣宗懷裡，哭哭啼啼編了一套胡皇后欺負自己的故事。

孫貴妃編的故事說多了，讓宣宗相信胡皇后眞的是在欺負孫貴妃，美人兒被皇后虐待，任誰也看著不忍心。

有一天，宣宗和胡皇后在一起，宣宗便要求她善待孫貴妃。

宣宗帶有責備語氣的話，胡皇后差一點沒有昏暈過去，她何嘗欺負過孫貴妃，倒是孫貴妃常常暗地欺負她，只不過孫貴妃憑著一張漂亮的臉蛋，

加上善於演戲，讓宣宗誤以為孫貴妃太嬌美，才受到胡皇后的欺負。

胡皇后想分辯，又不知打那兒開口，她很想把孫貴妃的眞面目揭開來，又怕宣宗會不相信。況且，她又是厚道之人，總覺得在背後批評別人是不道德的，思前想後，滿腹委屈，不自覺地，淚水奪眶而出。

宣宗見皇后哭了，不覺著了慌，趕緊解釋道：『你下回多多包容貴妃，朕不會再怪你的。』

宣宗竟然以為胡皇后眞的欺負孫貴妃，所以才感到愧疚而哭了。

宣宗走後，胡皇后憂急攻心，又病倒了。懦弱的個性和教養的約束，使她除了哭泣之外，眞不知該如何對付孫貴妃。

張太后前來探望，心疼萬分地對胡皇后說：『你身為皇后，管理所有的妃嬪，也該拿一點威儀出來，用不著太怕孫貴妃。』張太后捏緊胡皇后的手，想要帶給她一些力量。

胡皇后感激地望了張太后一眼，不曉得該要說些什麼，只喃喃道：『我沒有用。』豆大的淚珠，滾滿了一臉。

旁人都被孫貴妃的美貌和做作給迷住了，張太后可是親眼看著孫貴妃進宮，知道孫貴妃那張美麗的面孔背後的惡毒心腸。

張太后握著胡皇后的手，內心激起一股正義澎湃之情，她定定地看著胡皇后：『有我在一天，我就會盡我的全力保護你。』

孫貴妃呢？她根本沒把軟弱多病的胡皇后放在眼裡，她清清楚楚地知道，通往皇后這一條路最大的障礙來自張太后，這件事不能急，也急不得，非慢慢剷除不可。

有一天晚上，孫貴妃特意濃妝艷抹，用茉莉花種擰出汁水，抹在手心裡拍臉，本來就是個鮮艷異常的美人，再抹了天然香水，甜香滿頰，芳香欲滴。

孫貴妃最擅長撒嬌，又多喝了幾杯酒，漂亮的大眼睛，轉盼流光，直把宣宗看得迷離恍惚，落魄垂涎。

孫貴妃心想，是時候了。於是，一面猛灌宣宗的酒，一面開始提出要求：『皇上最不公平了，皇后有的，我都沒有。』

宣宗抓抓腦袋，不解道：『誰說的？那一樣東西是皇后有的，你沒有？』說著，宣宗輕撫貴妃細膩的臉蛋。

事實上，自胭脂珍寶到綾羅綢緞，孫貴妃的奢華，遠遠超過胡皇后。

孫貴妃尖著嗓子，嗲聲嗲氣：『有一樣東西，可是她有我沒有的，那就是金印。』

原來，宣宗即位，封皇后、封貴妃之時，按照規定，皇后有金冊金寶（印），貴妃只有金冊，沒有金寶（印）。

宣宗這下子可爲難了，他訥訥道：『金印一向是皇后才能有的。』

『我不管，爲什麼我沒有？』孫貴妃提高了聲音，雙手推著宣宗的肩膀。

宣宗道：『你要那個做什麼？』

孫貴妃突然臉色一變，雙手扠腰，兩眼瞪得比銅鈴還大，尖聲嚷道：

『做甚麼？沒有那一顆小小的金印，我樣樣比不上她，處處得聽她，你就不曉得，皇后兇起來會有多怕人。』

宣宗嚇了一跳，怎麼孫貴妃變了一個人似的，那嬌柔的模樣，竟然不見了蹤影。這股兇相和漂亮的臉孔，多麼不搭調。

宣宗也不是笨蛋，腦際裡靈光一閃，莫非這兇相才是孫貴妃的本來面目？

但是，宣宗也和胡皇后一般，自小備受寵愛，他是成祖的心肝、是仁宗的寶貝，他不曉得該如何應付，從來未見過這小美人的兇惡狀，那腦際裡的靈光立刻消失了。

宣宗心想，貴妃以下，有冊無寶，原是大明朝的規矩，金印豈能隨意頒給，又不是賞一件首飾，再說，太后那一關鐵定會碰釘子的。

孫貴妃瞅著宣宗，縮著脖子不說話，氣得大聲吼了起來：『你說，你給不給金印？』

宣宗囁嚅道：『朕考慮考慮。』

閱讀心得

【第779篇】

明宣宗意亂情迷。

即使是好不容易逮住機會，格於禮教，雙方都得避開老遠。每次見到小美人回眸一笑，宣宗總是心裡頭亂紛紛，日夜思念不已，恨不得早日長大完婚，一解相思之苦，所以儘管後宮佳麗如雲，宣宗連多看一眼也沒有興趣。

當然，孫貴妃任何要求，宣宗無不接受，只是這次金印的要求，乃是違反皇宮禮制的事，他可不敢輕率地答應。

宣宗在孫貴妃一再逼迫之下，抱著準備挨罵的心情，囁囁嚅嚅向張太后開了口：

『想當初，皇祖（指明成祖）把胡孫二人同時選為妃嬪，其實，禮數是差不多的。如今一人貴為皇后，一人僅是貴妃，一人有冊有印，一人有冊無印，相差太遠了，可否也賜給孫貴妃一個金印？』

講到這兒，宣宗自知理虧，紅著臉，小聲地說：『茲事體大，兒也不敢自專，懇請母后決定。』

在中國古代，皇帝的話就是聖旨，宣宗眞要給孫貴妃金印，太后又能如何？換一個角度來看，宣宗還想到問一聲老娘，也算是孝順的了。當然，張太后明白，這個準是孫貴妃的主意。

於是，張太后以沈重而緩慢的語調說：『貴妃有冊無寶，這是咱們老祖宗定下來的規矩，豈能輕言更易？不過，由於她二人同時進宮，稍示優惠孫貴妃，似無不可。但是，以後孫貴妃不許處處與皇后相比，皇后不但門第較高，德行亦較孫貴妃高出許多，你千千萬萬得牢記。』

張太后的意思非常明顯，金印可以給孫貴妃，但是，孫貴妃可別再打什麼歪主意。

宣宗根本沒有細想，只覺得能向美人兒交代了，心裡忽然覺得好輕鬆。

孫貴妃拿到金印以後，笑容滿面對宣宗特別溫柔，常像小鳥依人般，貼在宣宗身邊，讓宣宗心裡感到眞是甜美。

有一天，宣宗下朝，心中惦記著小美人，急急忙忙趕到孫貴妃宮中。

『萬歲！』宮女在宮門口跪著迎接宣宗，卻不見孫貴妃。

『貴妃呢？』宣宗問道。

『貴妃在宮內有事。』一位宮女答道。

宣宗不再問話，快步走進宮中，只見孫貴妃正把雙手放在一塊大冰之上，宣宗感到好奇怪，現在正是秋涼時節，那裡熱得要用冰。

『小美人，你在幹什麼？』宣宗望著孫貴妃那嬌艷如花的臉孔。

『皇上！』孫貴妃叫了一聲，就大哭起來，撲倒在宣宗懷裡。

『心肝，別哭，快告訴我怎麼一回事？』宣宗疼惜地輕摸著孫貴妃的黑髮。

『你看哪！』孫貴妃把一雙玉手伸到宣宗面前。

一看孫貴妃的雙手有些紅腫，宣宗好生心疼，立刻焦急地問：『寶貝，你的手被甚麼東西給夾傷了？』

『才不是夾傷的。』孫貴妃又鑽進宣宗的懷裡邊哭邊說：『是被皇后打的。』

『甚麼？』宣宗簡直不敢置信：『皇后爲什麼要打你？』

『還不是那顆金印。』孫貴妃委屈地說：『那顆金印有甚麼了不起，我才不希罕。可是，皇后懷恨在心，太后又勸皇后立威。於是，皇后在坤寧宮召我過去，沒想到皇后早已安排了宮正司女官。我一進去，皇后就命女官拿了紫檀戒尺，把我的手心手背打了一百下。皇上，疼死我了，腫得好大，你千萬要替我做主啊！』

宣宗一面聽著美人在懷裡悲傷地哭訴，一面感覺到孫貴妃在抖動，心中大生憐愛，緊緊地摟住孫貴妃：『寶貝，別哭，朕會爲你做主的。』

閱讀心得

閱讀心得

閱讀心得

閱讀心得

歷代・西元對照表

朝　　代	起迄時間
五帝	西元前2698年～西元前2184年
夏	西元前2183年～西元前1752年
商	西元前1751年～西元前1123年
西周	西元前1122年～西元前 771年
春秋戰國(東周)	西元前 770年～西元前 222年
秦	西元前 221年～西元前 207年
西漢	西元前 206年～西元 8年
新	西元 9年～西元 24年
東漢	西元 25年～西元 219年
魏(三國)	西元 220年～西元 264元
晉	西元 265年～西元 419年
南北朝	西元 420年～西元 588年
隋	西元 589年～西元 617年
唐	西元 618年～西元 906年
五代	西元 907年～西元 959年
北宋	西元 960年～西元 1126年
南宋	西元 1127年～西元 1276年
元	西元 1277年～西元 1367年
明	西元 1368年～西元 1643年
清	西元 1644年～西元 1911年
中華民國	西元 1912年

國家圖書館出版品預行編目資料

全新吳姐姐講歷史故事. 36. 明代/吳涵碧 著.
--初版.--臺北市；皇冠，1995〔民84〕
面；公分（皇冠叢書；第2393種）
ISBN 978-957-33-1171-3（平裝）
1. 中國歷史

610.9　　84000130

皇冠叢書第2393種
第三十六集【明代】
全新吳姐姐講歷史故事〔注音本〕

作　者—吳涵碧
繪　圖—劉建志
發 行 人—平雲
出版發行—皇冠文化出版有限公司
台北市敦化北路120巷50號
電話◎02-27168888
郵撥帳號◎15261516號
皇冠出版社(香港)有限公司
香港銅鑼灣道180號百樂商業中心
19字樓1903室
電話◎2529-1778　傳真◎2527-0904
印　務—林佳燕
校　對—皇冠校對組
著作完成日期—1992年01月01日
香港發行日期—1995年09月25日
初版一刷日期—1995年10月01日
初版三十二刷日期—2021年05月
法律顧問—王惠光律師

讀者服務傳真專線◎02-27150507
電腦編號◎350036
ISBN◎978-957-33-1171-3
Printed in Taiwan
本書定價◎新台幣150元/港幣45元